Piet van Breemen
Alt werden als geistlicher Weg

Ignatianische Impulse
Herausgegeben von Stefan Kiechle SJ und Willi Lambert SJ,
Band 3

Ignatianische Impulse gründen in der Spiritualität des Ignatius von Loyola. Diese wird heute von vielen Menschen neu entdeckt.

Ignatianische Impulse greifen aktuelle und existentielle Fragen wie auch umstrittene Themen auf. Weltoffen und konkret, lebensnah und nach vorne gerichtet, gut lesbar und persönlich anregend sprechen sie suchende Menschen an und helfen ihnen, das alltägliche Leben spirituell zu deuten und zu gestalten.

Ignatianische Impulse werden begleitet durch den Jesuitenorden, der von Ignatius gegründet wurde. Ihre Themen orientieren sich an dem, was Jesuiten heute als ihre Leitlinien gewählt haben: Christlicher Glaube – soziale Gerechtigkeit – interreligiöser Dialog – moderne Kultur.

Piet van Breemen

Alt werden als geistlicher Weg

echter

Bibliografische Information der Deutschen Bibliothek
Die Deutsche Bibliothek verzeichnet diese Publikation in der Deutschen
Nationalbibliografie; detaillierte bibliografische Daten sind im Internet
über <http://dnb.ddb.de> abrufbar.

© 2004 Echter Verlag GmbH, Würzburg
www.echter-verlag.de
Umschlag: Roberto Meraner
Druck und Bindung: Clausen & Bosse GmbH, Leck
ISBN 3-429-02533-8

Inhalt

Vorwort

Alt werden ist zuerst eine Gabe, aber ohne Zweifel auch eine Aufgabe. Diese Aufgabe hat viele Aspekte. Zum geistlichen Teil dieser Aufgabe will diese Schrift einige Hilfen anbieten. Dabei schöpfe ich aus eigener Erfahrung – ich bin Jahrgang 1927 – und persönlichen Überlegungen, die beide in der ignatianischen Spiritualität verwurzelt sind – seit 1945 bin ich Jesuit.

Mit vielen Freunden und Bekannten habe ich über dieses Thema gesprochen, manchmal auch mit Blick auf diese Veröffentlichung. Drei von ihnen möchte ich namentlich für ihren persönlichen Beitrag danken: P. Hans Oudshoorn SJ hat viele Jahre die Mitbrüder im ordenseigenen Alters- und Pflegeheim Berchmanianum in Nimwegen (Niederlande) begleitet. Frau Sophie Montaperto hat ebenfalls viele Jahre in einem bayerischen Alters- und Pflegeheim alte Menschen gepflegt und dazu über ihren Dienst reflektiert. Sr. Ignatia Bentele, inzwischen selbst hoch-betagt, hat mir aus ihrer Erfahrung kostbare Einsichten vermittelt. Ihnen und den vielen, die ich hier nicht mit Namen nenne, bin ich aufrichtig dankbar.

Am meisten verdanke ich den Mitbrüdern des Jesuitenordens im Altersheim Peter-Faber-Kolleg in Berlin-Kladow. Fast neun Jahre habe ich mit ihnen zusammen gelebt. Das war für mich eine kostbare, allerdings nicht immer leichte Zeit. Gerade zum Thema dieses kleinen Buches habe ich viel von ihnen gelernt. Vor sechs Jahren schrieb ich einen Artikel: »Eine Spiritualität des Alterns«[1]. Er ist aus den Erfahrungen mit diesen Mitbrüdern erwachsen. Die meisten von ihnen haben inzwischen das Ende ihrer irdischen Reise erreicht. Ihrer gedenke ich hier mit warmem Herzen.

Es ist mein Wunsch und meine Hoffnung, dass dieses Buch vielen Menschen helfe, den gewiss nicht leichten letzten Abschnitt ihres Lebens harmonisch und fruchtbar zu erleben.

Aachen, Herbst 2003   *Piet van Breemen*

1. In jedem Alter der ganze Mensch

Den Lebensabend kann man nicht so leben wie den Vormittag. Dennoch sind die beiden so wesentlich miteinander verbunden, dass man sie nur als Einheit leben kann. Was groß und wichtig war am Anfang, kann gegen Ende nur noch von geringer Bedeutung sein, und was anfänglich kaum eine Rolle spielte, kann den letzten Abschnitt völlig beherrschen. Aber es sind doch immer verschiedene Phasen des einen Lebens, das der Voll-Endung entgegen wächst. Wie unser Körper in sieben Jahren alle Zellen auswechselt und dennoch in diesem Prozess immer und unverwechselbar *unser* Körper bleibt, so bilden die unterschiedlichen Stufen der Persönlichkeitsentwicklung den Werdegang dieses *einen* höchstpersönlichen Lebens. Dabei hat selbstverständlich jede Lebensphase ihre eigene Aufgabe und ihre Verwandlung, ihre Schönheit und ihren Charme, auch ihre eigenen Gefahren und ihre Krankheiten. In allem ist die menschliche Existenz, vielleicht sogar vor allem im Alter, *ein* lebenslanger Lernprozess.

Hermann Hesse hat diesen Zusammenhang stark erlebt und es in einem Gedicht ausgedrückt:

Stufen
Wie jede Blüte welkt und jede Jugend
dem Alter weicht, blüht jede Lebensstufe,

blüht jede Weisheit auch und jede Tugend
zu ihrer Zeit und darf nicht ewig dauern.
Es muss das Herz bei jedem Lebensrufe
bereit zum Abschied sein und Neubeginne,
um sich in Tapferkeit und ohne Trauern
in andre, neue Bindungen zu geben.
Und jedem Anfang wohnt ein Zauber inne,
der uns beschützt und der uns hilft zu leben.

Wir sollen heiter Raum um Raum durchschreiten,
an keinem wie an einer Heimat hängen,
der Weltgeist will nicht fesseln uns und engen,
er will uns Stuf' um Stufe heben, weiten.
Kaum sind wir heimisch einem Lebenskreise
und traulich eingewohnt, so droht Erschlaffen,
nur wer bereit zu Aufbruch ist und Reise,
mag lähmender Gewöhnung sich entraffen.

Es wird vielleicht auch noch die Todesstunde
uns neuen Räumen jung entgegensenden,
des Lebens Ruf an uns wird niemals enden. ...
Wohlan denn, Herz, nimm Abschied und gesunde![2]

Je weiter das Leben fortgeschritten ist, um so klarer
enthüllt es seine Grundstrukturen. Das Alter bringt
manchmal zum Vorschein, was in den Zeiten der
vollen Aktivität nicht auffiel, und erhellt so die vor-
hergehenden Lebensabschnitte. So kann der Psalmist beten: »Unsere Tage zu zählen lehre uns! Dann
gewinnen wir ein weises Herz« (Ps 90,12).
Dieser naturgegebene Zusammenhang zwischen
den verschiedenen Lebensphasen bedeutet für die

Aufgabe, die wir uns in dieser Schrift gestellt haben, dass der geistliche Aspekt des Altwerdens normalerweise nur von einem Menschen wahrgenommen werden kann, dessen bisheriges Leben schon vom geistlichen Leben geprägt oder wenigstens berührt war. Ein »geistliches Leben« muss schon zur Zeit des aktiven Lebens begonnen werden, damit es im Alter trägt. Manch einer hat das erst entdeckt, als es zu spät war, und musste sich dann mit einer herben Enttäuschung abfinden. Allerdings muss ich sofort hinzufügen, dass die Gnade immer mehr vermag als das, was unsere klugen Regeln festschreiben.

Das Alter schafft Raum für Werte, die ohne weiteres für unser ganzes Leben wichtig und kostbar sind, aber manchmal zu wenig Chance bekamen, sich zu entfalten; zum Beispiel:

- still werden und in bewussten Kontakt mit der Quelle unseres Wesens treten;
- Muße leben, um ruhig einem Menschen zuzuhören, der uns nahe steht;
- befreit werden von einem unheiligen oder auch heiligen Zwang;
- die Reise nach innen antreten, die Dag Hammarskjöld die längste Reise nannte;
- wichtige Erinnerungen hochkommen lassen und in Ruhe auskosten.

Der Preis für diesen Gewinn ist oft hoch. Die körperlichen und geistlichen Kräfte und Fähigkeiten nehmen ab, die Gebrechlichkeit und Krankheiten dagegen nehmen zu. Das bedeutet, dass man mehr und mehr auf die Hilfe anderer angewiesen ist. Das

11

fordert und fördert einen Reifungsprozess, der aber nur wirklich stattfinden kann, wenn man zu diesem Nachlassen seiner Kräfte steht. Es ist immer die Versuchung da, zu tun »als ob«: als ob man noch vieles könnte und hätte; als ob es gar nicht so schlimm sei ... Es braucht Ehrlichkeit und auch Demut, zum Altwerden zu stehen und es wirklich anzunehmen. Wenn dies jedoch gelingt, kann das Alter zu einer Bereicherung und zu einer Gnade werden. Viele alte Menschen haben das erfahren und damit ihre Mitmenschen beschenkt.

Auch hier wiederholt sich ein Lebensgesetz. Was wir in Wahrheit sind, hängt immer von drei Faktoren ab. Der erste Faktor ist die Erbanlage, die in unseren Genen festgelegt ist. Sie bestimmt, ob wir Frau oder Mann sind, welches unsere Haut- und Haarfarbe ist, wie unsere Körperform aussieht und noch viel, viel mehr. Das alles ist festgelegt. Der zweite bestimmende Faktor ist, was unsere Umgebung und unsere Lebensgeschichte aus dieser Erbanlage gemacht haben. Das ist mit uns geschehen und hat sich so festgeschrieben. Es kommt aber noch ein dritter Faktor hinzu: Was wir selbst in freier Wahl aus unserem Erbe und unserer Geschichte machen. Der dritte Faktor steht für den Spielraum, der uns gegeben ist, für unsere Freiheit. Wo der eine resigniert, weiß der andere zu wachsen. Wo der eine etwas Negatives als einen Angriff auf seine Person oder als persönliche Niederlage deutet, wittert der andere seine Chance oder Herausforderung. Gewiss, manches ist unveränderbar in unserem Leben, aber die entscheidende Frage ist dann doch, wie wir mit diesem Unveränderlichen umgehen. Manche Situation mag nicht zu ändern sein, wohl aber unsere Einstellung dazu. Damit ist uns etwas Wesentliches gegeben. C. G. Jung hat den kostbaren Satz geprägt: »Man wandelt nur, was man annimmt«[3]. Auf das, was man nicht annimmt, hat man keinen Einfluss mehr. Wenn man es aber annimmt, kann man es vielleicht zum Guten wandeln. Das gilt übrigens nicht nur für Dinge und Situationen; wichtiger ist, dass es auch für Menschen zutrifft. Im hohen Alter scheint mir dieses Lebensgesetz immer wichtiger zu werden.

Nicht alles, was geschieht, ist ohne weiteres der Wille Gottes. Ich bin überzeugt, dass manche Vorfälle und Taten nicht von Gott gewollt sind. Wenn ein betrunkener Autofahrer einen tödlichen Unfall verursacht, dann schiene es mir eine fatale Vereinfachung zu sein, dies als den Willen Gottes darzustellen. Gott will nicht, dass betrunkene Menschen Auto fahren. Gott aber will »bei denen, die ihn lieben, alles zum Guten führen« (Röm 8,28). Dazu braucht er normalerweise unsere Mitwirkung. Gott wirkt durch Menschen. Die Frage ist also, wie wir Tatsachen, die geschehen sind, in Verbindung mit Gott zum Guten führen können. Dabei kommt es zunächst darauf an, wie wir die Tatsachen wahrnehmen und wie wir sie angehen. Gottes Umgang mit uns fällt nicht auf uns wie ein Schicksal, dem wir uns unterwerfen müssen. Das würde zu einer fatalistischen Lebenshaltung führen, die dem Geist Jesu widerspricht. Es ist die Kunst christlichen Lebens, die sogenannten Fakten immer in Beziehung zu Gott zu sehen, der »sich in allen geschaffenen Dingen auf dem Angesicht der Erde für mich müht und arbeitet«, wie es Ignatius in seinen Geistlichen Übungen formuliert (GÜ 236).[4]

Alfred Delp SJ schrieb am 17. November 1944 im Gefängnis von Berlin-Tegel mit gefesselten Händen: »Das eine ist mir so klar und spürbar wie selten: die Welt ist Gottes so voll. Aus allen Poren der Dinge quillt er gleichsam uns entgegen. Wir aber sind oft blind. Wir bleiben in den schönen und in den bösen Stunden hängen und erleben sie nicht durch bis an den Brunnenpunkt, an dem sie aus Gott herausströmen. Das gilt für alles Schöne und auch für das Elend. In allem will Gott Begegnung feiern und fragt und will die anbetende, hingebende Antwort.«[5] Auch in dieser dunkelsten Stunde versuchte Alfred Delp eine anbetende, hingebende Antwort aus einer Begegnung mit Gott heraus. Das hat er wohl von seinem Ordensgründer gelernt: immer nach bestem Vermögen mit Gott mitzuwirken, immer Instrument in der Hand Gottes zu sein, immer in Verbindung mit Gott alles zum Guten zu führen.

Für Ignatius umfasst die Sendung, die Christus uns anvertraut, unser ganzes Leben. Vor einigen Jahren hat der Jesuitenprovinzial von Kalifornien einiges Aufsehen mit der Aussage erregt, dass es für einen Jesuiten keine Pensionierung gebe. Wer das so versteht, dass ein Jesuit bis zu seinem Tod arbeiten muss, hat den Provinzial missverstanden. Er meinte vielmehr, dass es in unserer Sendung keine Pensionierung gibt oder, anders formuliert, dass auch unsere Pensionierung zu unserer Sendung gehört. In dieser letzten Formulierung ist zwar das Missverständliche beseitigt, allerdings ebenso das Provozierende. Auch wenn unsere Kräfte abnehmen und Arbeit uns nicht mehr möglich ist, bleibt die Sendung in Kraft. Sie schließt für Ignatius sogar das Sterben ein. In den Satzungen schreibt der Gründer: »Wie im ganzen Leben, so soll auch und noch viel mehr im Tod ein jeder aus der Gesellschaft [Jesu] sich bemühen und Sorge tragen, dass Gott unserem Herrn in ihm Ehre und Dienst erwiesen und die Nächsten erbaut werden, wenigstens durch das Beispiel seiner Geduld und Tapferkeit, zugleich mit lebendigem Glauben, Hoffnung und Liebe zu den ewigen Gütern, die Christus unser Herr durch die so unvergleichlichen Mühen seines zeitlichen Lebens und Sterbens verdient und erworben hat.«[6]

Was Ignatius in den Satzungen für seine Mitbrüder schreibt, gilt im Grunde für jeden Christen. Denn das Leben eines jeden Getauften ist eine Sendung, und zwar ebenfalls eine, die das ganze Leben umfasst. Trotz zunehmender Jahresringe steht auch der betagte Christ noch ganz im Dienst für das Reich Gottes, wie immer die konkrete Form dieses Dienstes auch aussehen mag. Auf diese Weise gibt das Evangelium dem Alter einen kostbaren Wert. Das ist kein geringes Geschenk der Frohbotschaft. Es ermutigt uns, die Beschwerden und Zurücksetzungen des Alters in Geduld und ohne Wehleidigkeit anzunehmen, weil sie in einen größeren Zusammenhang aufgenommen werden.

Als ich mit einer 89-jährigen Frau über mein Vorhaben, dieses Buch zu schreiben, sprach und ihr den ursprünglich vorgesehenen Titel »Alt werden als geistliche Aufgabe« nannte, reagierte sie spontan: »Aber alt werden ist nicht nur eine Aufgabe, es ist vor allem eine Gabe.« Sie hat recht. Man kann Gabe und Aufgabe nicht voneinander trennen, doch es ist gut, die Gabe zu betonen; das hilft, die Aufgabe besser zu erledigen.

2. Das Altern in seinen verschiedenen Phasen

Wenn wir in diesem Büchlein über das Altwerden sprechen, dann hilft es uns zu bedenken, dass es im Altern mehrere Stufen gibt. Die Gruppe, die man »die Alten« nennt, wird immer größer, zahlenmäßig und auch prozentual, und sie wird immer differenzierter. Auf den ersten Blick kann man schon unterscheiden:

- die sogenannten »jungen Alten«, die gerade Pensionierten, die geistig und körperlich noch fit sind;
- diejenigen, die bereits stark abbauen;
- die Hilfsbedürftigen;
- diejenigen, die unter persönlichkeitsverändernden Krankheiten leiden, wie Senilität oder der Alzheimer Krankheit.

Innerhalb dieser Gruppierungen gibt es große Unterschiede der finanziellen Lage – die Kluft zwischen Arm und Reich ist auch bei alten Menschen offensichtlich, und sie wird auch bei ihnen immer größer – und der kulturellen und intellektuellen Bildung. Damit sind auch die Möglichkeiten, diese Lebensphase zu gestalten, sehr unterschiedlich.

Die erste Gruppe wird wohl am meisten beneidet und gelegentlich auch karikiert. Viele der »jungen Alten« haben Wege gefunden, die neu erworbene Freiheit gut zu nutzen. Sie sind jetzt in der Lage,

Dinge zu tun, die sie sich schon immer gewünscht haben, und sie zögern nicht, ihre Chance zu ergreifen. Da ist beispielsweise das Seniorenstudium an den Universitäten, das mehr auf Einsicht als auf Informationsfülle ausgerichtet ist und in dem der Lebensreife der Studierenden Rechnung getragen wird. Viele finden darin Freude und Erfüllung. Manche stellen ihre Erfahrung und ihre Fähigkeiten anderen zu Diensten, befreit von dem Druck der Arbeitsverpflichtung. So kenne ich einen Mitbruder, der als ehemaliger Gymnasiallehrer einen Teil seiner Freizeit nutzt, um Asylsuchenden Sprachunterricht zu erteilen, und der selbst dabei jung und froh bleibt. Ein Computerspezialist kommt jede Woche für einen Nachmittag in die Caritas-Verwaltung einer Großstadt, um bei schwierigen Computerproblemen zu helfen. So kennt wohl jeder von uns anregende Beispiele von Menschen, die in Dankbarkeit und Freude von dem etwas zurückgeben, was sie lebenslang selbst empfangen haben.

In vielen Teilen der Welt gibt es für junge Menschen die Möglichkeit, unter der Leitung der Jesuiten einen sozialen Einsatz zu übernehmen. In Deutschland heißt das Projekt *Jesuit European Volunteers* (JEV). Die jungen Erwachsenen leben ein Jahr – manche zwei Jahre – zusammen in einer kleinen, gemischten, meist international zusammengesetzten Gruppe. Sie lassen sich bewusst auf einen einfachen Lebensstil ein. Alle arbeiten in irgendeiner Weise für Randgruppen oder gesellschaftlich Benachteiligte. Im gemeinschaftlichen Leben wird für Gebetszeiten und spirituellen Austausch Platz eingeräumt; einmal im Jahr gehören achttägige Einzelexerzitien dazu. In den USA haben sich nun seit einigen Jahren unter dem Namen *Ignatian Lay Volunteer Corps* ähnliche Gruppen für die »jungen Alten« gebildet. Für manche ältere Menschen schafft diese Verbindung von geistlichem Gemeinschaftsleben und sozialem Einsatz einen willkommenen Übergang vom Arbeitsleben zum Ruhestand.

Die Aufgabe der zweiten der oben genannten Gruppen sieht ganz anders aus. Sie erfahren stark, wie ihr Gedächtnis nachlässt, vor allem wie sie sich immer öfter an Namen und Fakten nicht mehr erinnern können. Sie merken auch, dass sie weniger gut hören und sehen, so dass sie mehr und mehr isoliert werden. Manches, was sie noch selbst tun können, geht ungewohnt langsam und wird nicht nur für die Umgebung, sondern auch für sie selbst zur Geduldsprobe. Die Gebrechlichkeit des Alters stellt sie vor die schwierige Aufgabe, sich mit ihr zurechtzufinden. Was diese Menschen vor allem lernen müssen, ist, in dieser Beschränkung ihr Maß zu finden. In einer Welt, in der die Leitbilder das Größer und Schneller und Mehr sind, müssen sie sich in die entgegengesetzte Richtung bewegen. Ihre Arbeitskraft, die Konzentration und die Ausdauer nehmen immer mehr ab, und das erfordert einen schwierigen und dauerhaften Lernprozess. Das Maß, das früher ihr Leben bestimmt hat, verliert seine Gültigkeit und seine Stimmigkeit. Sie müssen es hinter sich lassen und sich auf ein neues Maß einstimmen. Der Weise schätzt das rechte Maß gut ein und lebt danach, auch wenn die abnehmenden Kräfte es immer bescheidener werden lassen.

Für Ignatius war einerseits das *magis* – das Streben nach dem »Mehr« und dem Größeren – ein Ideal, andererseits aber auch die *discreta caritas*: die diskrete, unterscheidende Liebe. Der offene Komparativ ist typisch für ihn. *Ad Maiorem Dei Gloriam*: nicht zur *größten*, sondern zur *größeren* Ehre Gottes. Es steckt eine Dynamik darin. Wir sind auf dem Weg zu Gott, der immer größer ist, und darum sind wir lebenslang Pilger. Aber dieser offenen Steigerung steht das Maßhalten gegenüber. Das richtige Maß hängt mit unserer Person zusammen, ist aber noch tiefer begründet als in uns selbst, nämlich im Willen Gottes. Ignatius war immer bemüht zu unterscheiden, was genau der Wille Gottes von uns verlangt. »In den Dingen, die zu tun sind, auch in den frommen, ist Maßhalten erforderlich, damit die Mühen dauern können, was unmöglich wäre, wenn sie übermäßig sind. Und in den Ereignissen wäre es angebracht, das Herz dafür bereit zu haben, die eine oder die andere Seite anzunehmen, nämlich die glückliche und die widrige, bereitwillig wie aus der Hand Gottes« (aus einem Brief, den Ignatius ein halbes Jahr vor seinem Tod an Girolamo Vignes schrieb)[7].

Allmählich kann der Abbau der Kräfte zur völligen Hilfsbedürftigkeit führen. Das ist ohne Zweifel ein sehr schweres Kreuz. Diese Abhängigkeit fällt niemandem leicht. Man muss auf eine neue Weise warten lernen, für die einfachsten und auch für die intimsten Vorgänge. Man ist der Art und Weise des anderen ganz und gar ausgeliefert. Die Einsamkeit nimmt zu und wird manchmal als Verlassenheit empfunden. Vieles, was das frühere Leben – auch noch im rüstigen Alter! – sinnvoll machte, fällt nun weg. Es kann gut sein, dass die einfache Gegenwart des Kranken den anderen viel bedeutet, aber manchmal ist der Kranke selbst sich dessen nicht bewusst oder wagt es nicht, so etwas zu glauben. In dieser Situation kommt wohl keiner daran vorbei, den besonderen Sinn dieser Lebensphase zu suchen. Das, worauf das Selbstwertgefühl sich größtenteils stützte, fällt praktisch ganz weg, wie die Berufsarbeit, die Schaffenskraft und Produktivität, die Sorge und der Einsatz für die Familie und andere Menschen, der Einfluss und die Stellung, auch das Aussehen und die physische Kraft, ja oft sogar das Gedächtnis, das Hören und das Sehen. Glücklich der Mensch, der aus dem Glauben gelebt hat. Die Sinnfrage wird jetzt zwar neu gestellt, aber sie kann doch anknüpfen an frühere Glaubenserfahrungen, die Halt geben. Es geht nun um das Fundament, das das ganze Leben tragen kann.

Wir leben in einer Leistungsgesellschaft, in der man ist, was man leistet. Das ist die Luft, die wir atmen, und das Klima, in dem wir uns bewegen. Es ist eine Welt, in der man sich alles verdienen muss. Wir haben das schon als Kinder gelernt und schnell verinnerlicht. Es prägt unsere Lebensweise. Nicht nur Geld und Anerkennung muss man verdienen, sondern auch seinen guten Ruf und die Dankbarkeit, manchmal sogar Herzlichkeit und Zuneigung. Das Evangelium ist da ganz anders. In der Bibel kommt das Wort Leistung nicht vor; sie spricht immer von »Fruchtbarkeit«. Diese verlangt eine völlig andere Lebenseinstellung, denn in der Fruchtbarkeit wirkt ein Geheimnis, das wir nicht durchschauen. Jesus drückt das sehr schön und einfach im Gleichnis von der selbstwachsenden Saat aus: »Mit dem Reich Gottes ist es so, wie wenn ein Mann Samen auf seinen Acker sät; dann schläft er und steht wieder auf, es wird Nacht und wird Tag, der Samen keimt und wächst, und der Mann weiß nicht wie« (Mk 4,26f). So ist das Reich Gottes. Für die Leistung ist entscheidend, dass man alle Fäden in der Hand und alles unter Kontrolle hält. Für das Reich Gottes ist es wesentlich, dass man sich einem Geheimnis anvertraut und dieses Geheimnis wirken lässt. Das ist das Grundgesetz der Frohbotschaft und damit des Lebens jedes Christen. Wenn in der letzten Lebensphase die Energie und die Initiative abnehmen, gilt es, mit größerer Hingabe aus dieser Grundhaltung des Glaubens zu leben. Das, was immer galt, kommt jetzt mehr zum Zug und wirkt befreiend. Es schenkt uns einen Frieden, den die Welt nicht geben kann.

Mir scheint, dass diese Lebensweise der Hingabe nicht nur für den Betagten selbst wichtig ist, sondern unserer Welt etwas vorlebt, was meist – obwohl die Welt es sehr braucht – stark vernachlässigt wird, auch in der Kirche und im christlichen Milieu. Ein kostbares Beispiel dafür finde ich im Verhalten von Pater Pedro Arrupe. Im Mai 1965 wurde er zum Generaloberen des Jesuitenordens gewählt. Diesen Dienst hat er mit seiner ganzen Person und in tiefem Glauben und Vertrauen geleistet. Am 7. August 1981 erlitt er am römischen Flughafen Fiumicino einen schweren Schlaganfall, der ihn zur völligen Hilfsbedürftigkeit verurteilte. Erst zwei Jahre später konnte ein Nachfolger gewählt werden. Die Generalkongregation – eine Versammlung von Jesuiten aus aller Welt, die zur Wahl zusammengetreten war – nahm am 3. September 1983 den Rücktritt von P. Arrupe an. Am Nachmittag desselben Tages, in einer besonderen, feierlichen Sitzung, wurde eine Botschaft von P. Arrupe verlesen, die mit folgenden Worten begann: »Liebe Patres! Wie sehr hätte ich mir gewünscht, mich für diese Begegnung mit Ihnen in besserer körperlicher Verfassung zu befinden! Wie Sie sehen, kann ich nicht einmal direkt zu Ihnen sprechen. Aber meine Assistenten haben verstanden, was ich jedem von Ihnen sagen will. Mehr denn je befinde ich mich jetzt in Gottes Hand. Das habe ich mir mein ganzes Leben lang von Jugend auf gewünscht. Nun gibt es allerdings einen Unterschied: Heute liegt die Initiative ganz bei Gott. Mich so völlig in seinen Händen zu wissen und zu fühlen, ist wahrhaftig eine tiefe geistliche Erfahrung.«

Für einige alte Menschen führt die Phase der Hilfsbedürftigkeit zu einem solchen körperlichen und geistigen Abbau, dass ihre Persönlichkeit sich grundlegend verändert. Das ist es, was viele am meisten fürchten. Es ist schwer einzuschätzen, was diese Patienten leiden, eben weil sie sich nicht mehr äußern können. Im Peter-Faber-Kolleg in Berlin-Kladow habe ich die Alzheimer Krankheit eines Mitbruders von Anfang an bis kurz vor seinem Tod miterlebt. Am Ende stand die völlige Sprachlosigkeit. Aber ich habe bemerkt, dass alle Emotionen und Gefühle noch da waren, auch wenn er sie nicht mehr verbal ausdrücken konnte. Und zu Weihnachten hat er uns alle überrascht, als er die alten und vertrauten Lieder voller Inbrunst mitsingen konnte.

Nicht nur der Patient leidet. Auch für seine Umgebung ist seine Krankheit ein hartes Kreuz. Besonders in einer Ehe ist es für den anderen ein großes Leid, wenn ein Partner von einer solchen Krankheit getroffen wird. Wo ich dies miterlebt habe, war ich immer zutiefst von der Treue und der Geduld, dem Respekt und dem Einsatz des Ehepartners bewegt – der manchmal selbst nicht mehr ganz gesund war. Wenn die Pflege zu Hause nicht mehr möglich ist, kommt es zu dem schwierigen, aber notwendigen Entschluss, den Kranken in ein Pflegeheim zu geben. Auch wenn dies eine große praktische Erleichterung bedeutet, bleibt es doch ein schwerer Schritt, der tief ins Herz schneidet.

Es stellt sich leicht die Frage – und immer häufiger wird sie auch ausgesprochen –, was denn wohl der Wert eines solchen Lebens sei. Wie sehr sich diese Frage aufdrängen mag, sie ist doch falsch gestellt und verrät eine besorgniserregende Grundeinstellung. Ein Wert hängt von einem Wertesystem ab und wird in diesem System nach Bewertungsgrundlagen gemessen. Der Wert kann schwanken, kann sogar gegen Null gehen oder zum Unwert werden. Die Würde eines Menschen ist jedoch in keinem Fall antastbar, weil sie ihm von Gott selbst zugesprochen wird: Gott hat den Menschen nach seinem eigenen Bild, als sein Abbild erschaffen. »Die Würde sprechen wir uns nicht zu, darum können wir sie einander auch nicht absprechen. Sie ist uns vorgegeben, sie darf nicht angetastet werden«, so sagt Bischof Franz Kamphaus[8]. Der schwer kranke Mensch weist über sich selbst hinaus, ohne sich dessen bewusst zu sein. Das ist ein Dienst, dessen Wert nicht gemessen werden kann.

3. Die Stellung der alten Generation in der modernen Gesellschaft

Vor allem drei Faktoren bestimmen die Stellung der älteren Generation in der modernen Gesellschaft. Zunächst ist dank des medizinischen Fortschritts die Lebenserwartung erheblich gestiegen und bleiben die Menschen meist länger gesund. Sodann ist die Geburtenrate in den letzten Jahrzehnten stark zurückgegangen; in Deutschland bekommt jede Frau im Durchschnitt nur noch 1,3 Kinder. Aus diesen beiden Gründen ist der Anteil der Senioren in der Bevölkerung stark gestiegen. Dazu kommt dann noch, dass der moderne Sozialstaat in beachtlichem Maße die Verantwortung für die Absicherung des Alters übernommen hat; damit bekam die Generation der Älteren eine große materielle Unabhängigkeit. Im Zusammenwirken mit den ersten beiden Faktoren bedeutet das allerdings, dass eine stetig wachsende Gruppe von Rentnern einer gleichbleibenden oder gar zurückgehenden Zahl von Erwerbstätigen zur Last wird. Damit ist das aktuelle Rentenproblem vorprogrammiert.

Für die Wirtschaft sind die Rentner allerdings willkommen. Es hat sich ein beträchtlicher, eigens auf Senioren ausgerichteter Absatzmarkt ausgebildet. Für die »jungen Alten« gibt es verlockende touristische Angebote. Auch der Fitness-, Sport- und Ernährungssektor stimmen sich auf sie ab. Selbstverständlich sehen auch die Versicherungen ihre Chance. Für die älteren Betagten gibt es ein großes Angebot häuslicher Pflege. Bei Wahlen bilden die Senioren eine Macht, mit der man rechnen muss. Das wissen nicht nur die Politiker, auch die Alten selbst sind sich dessen bewusst. Man denke an die »Grauen Panther« in Deutschland und an die *American Association of Retired Persons* in den USA.

In den Familien spielen die Großeltern oft eine besondere Rolle, anders als früher. Sicherlich gibt es viel weniger Enkelkinder als in früheren Generationen. Aber wenn beide Eltern berufstätig sind, ist die Hilfe der Großeltern oft sehr gefragt. Großeltern haben den Vorteil, viel Zeit zu haben und – weil sie nicht die Verantwortung tragen – unbekümmerter mit den Enkeln als früher mit ihren eigenen Kindern umgehen zu können. Allerdings zeigt sich bald ein anderes Problem: Der Kalender der Kinder ist so voll mit Verpflichtungen wie Musik-, Tanz- und Sportstunden, dass *sie* zu wenig Zeit haben!

Wichtig ist bei all dem, dass die Großeltern nicht versuchen, die Erziehung der Eltern nachzubessern, denn damit würden sie eine ungesunde Spannung in ihre Beziehung sowohl zu ihren Kindern wie auch zu ihren Enkelkindern bringen. Vor allem im religiösen Bereich liegt hier gelegentlich ein schmerzliches, bisweilen brisantes Problem. Viele ältere Menschen machen sich große Sorgen um das Glaubensleben ihrer Kinder und die religiöse Erziehung der Kleinkinder. Oft haben sie mir ihren Schmerz gerade in dieser Hinsicht anvertraut. »Sie gehen nicht mehr in die Kirche«, oder: »Sie sind aus der Kirche ausgetreten ..., und es sind doch so gute Menschen«. »Ich bete jeden Tag für sie.« »Ich kann es nicht verstehen.« Manchmal kommt die eigene Schuldfrage hoch: »Was haben wir denn falsch gemacht?« Sie werden hin- und hergerissen zwischen Zuversicht und Unverständnis, zwischen Hoffnung und Furcht, aber das alles ist durchtränkt von einem tiefen Schmerz. Ich möchte diesen alten bzw. manchmal noch relativ jungen Großeltern gerne sagen: »Nein, ihr habt nichts falsch gemacht«; oder besser: »Natürlich habt ihr Fehler gemacht. Aber die gehören eben auch zur Erziehung dazu. Ohne die wäre es keine wahre Erziehung gewesen, sondern eine Bilderbuch-Aufführung. Es hat in den letzten Jahrzehnten so große und so rapide Veränderungen gegeben, dass keine Erziehung Ihre Kinder darauf konkret hätte vorbereiten können. Sie haben getan, was in Ihrem Vermögen lag. Vertrauen Sie jetzt die Lage Gott an; beten Sie für Ihre Kinder und Enkelkinder, aber mit freiem Herzen und mit festem Vertrauen. Druck auf die Kinder oder Enkelkinder auszuüben, würde sich fatal auswirken. Leben Sie Ihr Leben in aller Ehrlichkeit und Echtheit – das ist der beste Dienst, den Sie Ihren Kindern und Enkeln leisten können. Dann wirkt Gott durch Sie; er wird alles zum Guten führen.«

Die Bedeutung der älteren Menschen für die junge Generation scheint mir heute anders zu sein als früher. Kenntnisse und Erfahrungen können nur noch in beschränktem Maße an die Jüngeren weitergegeben werden. Die Entwicklung vollzieht sich heute in allen Lebensbereichen so schnell, dass das Wissen der Älteren oft sehr weit hinterher hinkt. Ein noch gar nicht so alter Gymnasiallehrer erzählte mir, dass er seine Computerprobleme seinen Schülern vorlegt und immer prompt eine Antwort erhält. Im *Know-how* von technischen Dingen sind sie ihm und seiner Generation einfach überlegen. Auch ihre persönlichen Fragestellungen sind oft so anders als früher, dass auch hier direkte, konkrete Hilfe kaum möglich ist. Äußerst kostbar erscheint mir jedoch, wenn bei Älteren die Haltung zum Leben und die persönliche Transparenz durchscheinen. Hier sehe ich die wichtigste Möglichkeit für einen authentischen Dienst an Jüngeren.

Ignatius rechnet es zu den wichtigsten Aufgaben seines Ordens, dass die Mitglieder sich für die Versöhnung von Zerstrittenen einsetzen. Im Entwurf der zu schreibenden Satzungen – der sogenannten *Formula Instituti* – wird dieser Dienst ausdrücklich und im ersten Satz erwähnt[9]. Senioren haben in dieser Hinsicht manchmal eine besondere Begabung. In ihrem langen Leben ist wahrscheinlich eine gewisse Milde und Weisheit gewachsen, die hier Frucht tragen kann. Ältere Menschen können die Zeit und die Ausdauer aufbringen, die man braucht, um voneinander Verfremdete wieder vorsichtig zusammenzuführen, vor allem in der eigenen Verwandtschaft. Vielleicht schauen sie einfach tiefer. Simeon und Hanna, beide hochbetagt, haben bei der Darstellung Jesu im Tempel gesehen, was der dienst-

habende Priester und die Mächtigen nicht wahrzunehmen vermochten, und waren dabei von tiefer
Freude erfüllt. Sie haben den Friedensfürsten erkannt. Von diesem Frieden etwas in unsere heutige
Welt zu bringen, könnte ein angemessener Dienst
und eine wertvolle Hilfe sein.

Es kommt jedoch eine Zeit, in der der ältere
Mensch nicht mehr viel helfen kann, sondern selbst
mehr und mehr Hilfe braucht. Oft fällt es nicht
leicht, diese Rolle zu akzeptieren. Hilfsbedürftigkeit
gehört jedoch zum Leben, insbesondere zum Le-
bensanfang und zum Lebensabend. Das grundsätz-
lich anzunehmen, ist für mich ein wichtiger christlicher Wert. Was in einer konkreten Situation den
Kindern – und den Enkeln, die ja oft schon groß
genug sind – an Hilfeleistung tatsächlich möglich
ist, ist eine andere Frage. Zunächst geht es darum,
dass bei alten Menschen die Bereitschaft und Fähigkeit wächst, die notwendige und gebührende – und
realistisch mögliche – Hilfe anzunehmen. Ohne zu
übertreiben, möchte ich sagen, dass ich von Ignatius
gelernt habe: Der Hilfsbedürftige ist ein Geschenk
an die Gemeinschaft. Ignatius legte immer großen
Wert darauf, dass für die Kranken bestmöglich ge-
sorgt wird. Und doch sprechen, wenn er von
Krankheit und Tod handelt – die Betagten nennt er
nicht, weil sie in der Gesellschaft Jesu seiner Zeit
kaum vorkamen –, seine ersten Worte nicht über
den Dienst *an* den Kranken, sondern über den
Dienst, den die Kranken den Gesunden leisten. Die
Gemeinschaft braucht nicht nur ihr Beispiel, son-

dern auch die Gelegenheit zu helfen, die sie ihr bieten. Das so zu sehen, ist eine Lebenshaltung, die mir wichtig und zeitgemäß erscheint. Sie ist eine Wahrheit, die auch in der Gründungsidee der »Arche« von Jean Vanier liegt und dort ihre Fruchtbarkeit beweist. Menschen, die man gewöhnlich »behindert« nennt, leben in der Arche mit solchen zusammen, die man als »normal« bezeichnen würde. Aber diese Einteilung lässt Jean Vanier nicht gelten: Nach seiner Auffassung haben wir alle unsere Behinderungen. Und die von uns so genannten Behinderten leisten der Gemeinschaft einen ungemein kostbaren Beitrag! Henri J. M. Nouwen, der 1996 verstorbene geistliche Schriftsteller, hat den letzten Teil seines Lebens in der Arche von Toronto verbracht und in den Büchern jener Zeit immer wieder die befreienden Erfahrungen in dieser Gemeinschaft beschrieben, wahrscheinlich am eindringlichsten in dem Buch »Adam und ich«[10], das posthum erschienen ist. Jedem alten Menschen kann die Aufgabe zufallen, in dieser Weise seinen Verwandten und Bekannten, ja der Gesellschaft überhaupt, ein Geschenk zu sein. Seien wir dazu bereit!

Ein paar Mal habe ich erlebt, wie jemand in seiner kleinen Gemeinschaft oder in der eigenen Familie sterben konnte. Mir ist klar, dass das heutzutage die Ausnahme ist. Die Familie konnte es leisten, weil unter den vielen Geschwistern mehrere Krankenschwestern waren; die kleine Gemeinschaft, weil sie einem Krankenhaus angegliedert war. Einer Jesuitengemeinschaft in Brügge in Flandern ist es ebenfalls gelungen, weil alle Mitbrüder sich eingesetzt haben und weil fachkundige Hilfe von außen mitwirkte. In jedem dieser Fälle war es für den Sterbenden ein Geschenk, in der vertrauten Gemeinschaft zu sein und dort sein Leben beenden zu können. Ebenso war es für die Hinterbliebenen eine tiefgreifende Erfahrung, mit einem lieben Menschen die letzte Lebensstrecke zu gehen. Noch Jahre später sprachen sie gerne über diese Zeit und waren dankbar, dass es so möglich war. Hier zeigt sich nochmals, wie Ignatius Krankheit und auch Tod als gegenseitigen Dienst betrachten kann. Die Hospizbewegung wirkt in diesem Geist für den Dienst an Sterbenden und tut damit sehr viel Gutes.

Die Alten haben ihren unersetzlichen Platz in der Gesellschaft, auch heute. Das vor allem wollte dieses Kapitel sagen. Wir können die Alten nicht missen.

4. Unterschiedliche Weisen, alt zu werden

Wer mit alten Menschen zusammenlebt, kennt mit Sicherheit zahlreiche Geschichten, die er schon hundert Mal gehört hat und die dennoch immer wieder aufgetischt werden. Im Alter wächst die Neigung, sich zu wiederholen. Man meldet sich gerne zu Wort, hat aber nichts Neues mehr zu sagen; also wiederholt man Altes. Anfänglich wird die Geschichte noch mit der Bemerkung eingeleitet, dass man sie schon mal erzählt hat; in späteren Phasen fällt diese Entschuldigung weg, und noch später weiß man selbst nicht mehr, dass man sie schon öfter erzählt hat. Diese Eigentümlichkeit des Alters weist auf zwei entgegengesetzte Gefährdungen hin.[11]

Auf der einen Seite steht die Neigung zur Wiederholung, Fixierung, Unbeweglichkeit, Erstarrung und zum Ritualismus. Man klammert sich an der Vergangenheit fest, verschönert und idealisiert sie und sucht darin Absicherung. Immer dasselbe! Das andere Extrem ist die Auflösung, ein Sich-Gehenlassen, eine Art Kontur- und Ordnungslosigkeit, eine Unzuverlässigkeit und Unberechenbarkeit, von denen die Altersgeschwätzigkeit ein deutlich wahrnehmbares Zeichen ist.

Im Alter muss man sich schon bewusst Mühe geben, um den Geist zu betätigen und für die Entwicklungen in Welt und Kirche wach zu bleiben.

Sich soweit wie möglich durch Gespräche, Lektüre und Fernsehen zu informieren, ist nicht mehr selbstverständlich, sondern erfordert eine bewusst gewählte Einstellung. Es ist wichtig, dass man sich weiter für kulturelle Fragen interessiert, dass man sich Zeit für geistliche Lesung nimmt; wenn das Lesen zu schwer fällt, können Hörbücher oder Kassetten helfen. Kleine Dienste, die man ungefragt übernehmen kann, sind ebenfalls eine gute Form des Kontakts und der Wachsamkeit. Oft haben Kleinigkeiten einen großen Wert, wenn sie mit Liebe getan werden. Es braucht wohl kaum eigens erwähnt zu werden, dass geeignete Hobbys eine Quelle der Freude und Lebendigkeit sind. Bei all dem gilt allerdings, dass man sein eigenes Maß finden muss. Ohne das ist alles schädlich.

Um die Gefahr der Erstarrung abzuwenden, ist der Humor eine wertvolle Hilfe. Er sieht Aspekte und Zusammenhänge, die der Ernst übersieht; er kann die Dinge entspannen und erleichtern. Der Humor lässt die Dinge in einem anderen Licht erscheinen. Er ist wie die Sonne, die über eine Landschaft scheint: Kein Blatt und kein Grashalm ist anders – und doch ist das Ganze so viel reizvoller. Humor baut Wut, Ärger oder Scham ab und fördert die Heilung von Verletzungen. Glücklich ist der Mensch, der etwas Spielerisches behält und gelegentlich über sich selbst lachen kann. Lachen tut gut. Es entspannt, sogar körperlich. Zwanzig Sekunden Lachen sei eine Übung, die drei Minuten Jogging aufwiegt, hat jemand gesagt. Überdies kann man diese Übung im Sessel absolvieren! Vielleicht ist das kostbarste Geschenk des Humors, dass er uns hilft zu relativieren, das heißt die Dinge zueinander in Beziehung zu setzen und ihnen so ihren richtigen Platz zu geben. Auf diese Weise kann man besser annehmen und integrieren, was das Leben beschert hat. Und genau das ist doch eine der wichtigsten Aufgaben des Alters: alles annehmen und verarbeiten, was man in seinem Leben erlebt hat.

In der Bergpredigt rät uns Jesus, jeden Tag für sich anzunehmen. »Sorgt euch also nicht um morgen; denn der morgige Tag wird für sich selbst sorgen. Jeder Tag hat genug eigene Plage« (Mt 6,34). Wir sollen uns nicht durch Furcht von dem beunruhigen lassen, was möglicherweise in der Zukunft noch geschehen könnte, was die letzte Lebensphase an Krankheit und Elend vielleicht bringen kann. Der Mensch leidet manchmal am meisten an dem Leiden, das er fürchtet und das nie eintritt. Wenn man diese Neigung in sich spürt, soll man bewusst und gezielt gegensteuern. Ignatius nennt das *agere contra*: genau gegen die Versuchung handeln (z.B. GÜ 351). So ist es in solchen Stimmungen oder Ängsten sehr nützlich, sich ganz einfach Gott anzuvertrauen, sich in Gottes Hand zu begeben, ein Gebet der Hingabe zu sprechen, das man vielleicht auswendig kennt. Derartige Akte des Gottvertrauens sind Gold wert.

Auf dem Weg des Reifens ist die Dankbarkeit unumgänglich. Sie würdigt und feiert den Geschenkcharakter des Lebens. Sie befähigt uns, das Leben und seine Gaben nicht als selbstverständlich oder als bloßen Zufall hinzunehmen, sondern es zu seiner Quelle zurückzuführen und so seinen Ursprung anzuerkennen. Dankbarkeit setzt Vertrauen voraus. Einem Menschen gegenüber, dem wir nicht vertrauen, können wir nicht wirklich dankbar sein, weil wir dann immer das unangenehme Gefühl haben, nicht zu wissen, was er eigentlich vorhat. Um die verschiedenen Erfahrungen unseres Lebens zu integrieren, hilft uns die Dankbarkeit noch mehr als der Humor. Erst in der Dankbarkeit können wir vollständig annehmen. Im Dank kommt das Leben zur Einheit. Sogar das Misslungene und die Enttäuschungen finden dann einen Platz, so dass echter Friede unser Herz erfüllt.

Das Evangelium hat uns nie versprochen, dass uns Leiden und Misserfolge erspart bleiben; im Gegenteil, Jesus hat seine Jünger unmissverständlich aufgefordert, ihr Kreuz auf sich zu nehmen und ihm nachzufolgen (Mt 16,24 und andere Stellen). Von Anfang an haben alle Christen – voran die Apostel – die Härte des Lebens in allen Formen des Leidens erfahren. Aber sie haben auch erfahren, was Jesus am Schluss des Matthäus-Evangeliums feierlich proklamiert hat: »Seid gewiss: Ich bin bei euch alle Tage bis zum Ende der Welt« (Mt 28,20). So war Jesus übrigens im ersten Kapitel desselben Evangeliums schon vom Engel angekündigt worden: »Immanuel, das heißt übersetzt: Gott ist mit uns« (Mt 1,23). Wenn wir diese Gegenwart Jesu in unserem Leben glauben können, dann haben wir auch den Schlüssel gefunden, um das ganze Leben annehmen zu können. In Psalm 103 heißt es am Anfang: »Lobe den Herrn, meine Seele, und alles in mir seinen heiligen Namen.« Das ist die wahre Reife: dass alles in uns Gott loben kann, dass unsere ganze Person zu einem Lob Gottes herangewachsen ist. Dann hat der Mensch die Einheit und den Frieden gefunden. Gegen Ende seines relativ kurzen Lebens – er kam um, als er 56 Jahre alt war – konnte Dag Hammarskjöld, Generalsekretär der UNO, schreiben: »Die Nacht nähert sich. Für alles, was war, Dank! Für alles, was kommt, ›Ja‹!«

Eine Altenpflegerin sah, wie eine Frau von 95 Jahren täglich viele Stunden lang ruhig und zufrieden am Fenster saß und beobachtete, was sich ihr zeigte. Einmal fragte sie die Frau, was sie so beschäftige. Sie bekam die folgende Antwort: »Ja, wissen Sie, in den jungen Jahren hatte ich vor lauter Arbeit überhaupt keine Zeit, mir irgendwelche Gedanken zu machen. Aber nun lebe ich seit elf Jahren in diesem Heim und ich muss gestehen, dass es mir noch nie so gut gegangen ist. Ich habe genug zu essen und ein warmes Zimmer. Das ist doch keineswegs selbstverständlich. Das Personal ist aufmerksam und freundlich. Wenn auch nicht alle Pflegerinnen das im gleichen Maß sind, bin ich trotzdem zufrieden. Die Menschen sind eben nicht alle gleich. Und schauen Sie nur die Natur, hat Gott das nicht wunderbar gemacht?! Er hat die Tiere für uns Menschen erschaffen und auch die Pflanzen, damit wir zu essen haben. In der Natur ist Gott, und nichts ist Zufall. Deshalb sitze ich gerne hier am Fenster, um zu schauen und über die Dinge nachzudenken. Spaziergänge sind mir fast unmöglich geworden, denn ich kann nicht mehr gut gehen. Aber hier habe ich trotzdem die Gelegenheit, die Veränderungen der Jahreszeiten wahrzunehmen. Und alles hat der liebe Gott gemacht.« Diese alte Frau mag wohl nicht die Bildung eines Dag Hammarskjöld haben, aber auch sie ist der Vollendung ihres Lebens nahe.

Ignatius beendet seine Geistlichen Übungen mit der »Betrachtung, um Liebe zu erlangen«. Er lässt den Exerzitanten beten »um innere Erkenntnis von so viel empfangenem Guten, damit ich, indem ich es gänzlich anerkenne, in allem seine göttliche Majestät lieben und ihr dienen kann« (GÜ 233). Ignatius schlägt vor, die empfangenen Wohltaten von Schöpfung, Erlösung und besonderen Gaben ins Gedächtnis zu rufen und dabei zu erwägen, »wieviel Gott unser Herr für mich getan hat und wieviel er mir von dem gegeben hat, was er hat, und wie weiterhin derselbe Herr sich mir zu geben wünscht ..., so sehr er kann.« Mir scheint, dass die alte Frau am Fenster auf ihre Weise genau das tut, was Ignatius auf seine Weise vorschlägt. Die Vollendung besteht wohl darin, dass »der Herr *sich* mir zu geben wünscht« und dass wir vorbereitet werden, diese Selbstgabe Gottes zu empfangen, um so zur völligen Vereinigung mit Gott zu gelangen.

5. Beten im Alter

Je älter man wird, desto mehr wird man mit der Tatsache konfrontiert, dass die Kontaktmöglichkeiten abnehmen, weil man nicht mehr so gut hören und sehen und gehen kann. Das ist ein schmerzlicher Verlust, aber zugleich eine naturgegebene Einladung, mehr in sich zu gehen. Würde man diese Einladung ausschlagen, wäre dies ein anderer großer Verlust. Das führt uns ganz natürlich zum wichtigen Thema des Betens im Alter. Das Beten eines 80-Jährigen ist selbstverständlich anders als das eines 25-Jährigen. Es hat wahrscheinlich mehr Reife und Tiefgang, aber sicherlich auch seine eigenen Schwierigkeiten. Wie können wir im Alter beten? Was kann uns dabei helfen?

Als Dag Hammarskjöld die Leitung der Vereinten Nationen innehatte, richtete er im riesigen Hauptgebäude dieser Organisation in New York einen Meditationsraum ein, in den seine Diplomaten, Beamten und Besucher – zu welcher Religion auch immer sie gehörten – sich zu Meditation und Stille zurückziehen konnten. Eigenhändig schrieb er hierfür einen Text und legte ihn in diesem Raum aus. Der erste Satz lautet: »In jedem von uns ist ein Zentrum der Stille, umgeben von Schweigen« *(in each of us there is a centre of stillness surrounded by silence)*. Dieses innere Zentrum der Stille ist wohl das, was in der langen geistlichen Tradition die

Mystiker »die feine Spitze der Seele« nannten. Zu Recht behauptet Dag Hammarskjöld, dass dieses Zentrum der Stille schon *da ist*, und zwar in jedem von uns. Man muss es nicht machen, sondern nur den Zugang zu ihm finden. Es kann sein, dass der Weg dorthin wenig begangen und überwuchert ist und daher erst einmal freigelegt werden muss. Im Alter macht Mutter Natur es uns etwas leichter, diesen Weg nach innen zu gehen. Allerdings entdeckt der Betagte dann schnell, dass es nicht so einfach ist, in echter Sammlung auszuharren – auch deswegen, weil seine Konzentrationsfähigkeit nachlässt. Das ist im Alter ein Nachteil, mit dem man sich abfinden muss. Glücklich der Mensch, den diese naturgegebene Last nicht schuldbeladen macht, denn das wäre ungesund. Moderne Meditationsmethoden betonen zu Recht, dass man den Leib in die Betrachtung einbeziehen muss. Im Alter kann dieser Rat manchmal bedeuten, dass man die Altersbeschwerden des Körpers annehmen und Gott hinhalten soll, was oft gar nicht so leicht ist. Wir wollen das Beten im Alter keineswegs idealisieren! Manch einer hat sich in jüngeren Jahren auf die Muße zum Beten vertröstet, die das Alter ihm schenken würde, um dann, als es soweit war, zu entdecken, wie schwer und enttäuschend das Gebet sein kann. Je tiefer die Wurzeln des Gebets früher schon reichten, desto leichter werden sie sich im Alter bewähren und verfestigen.

Man kann zu mehreren beten, in einer Gemeinschaft oder Gruppe. Man kann auch zu zweit beten, und natürlich werden viele alleine beten. Eine Kirche oder Kapelle ist in der Regel der geeignetste Platz zum Beten, aber solche Orte sind nicht immer zugänglich oder leicht erreichbar. Man kann in seiner Wohnung oder im Zimmer einen »Herrgottswinkel« oder eine einfache Gebetsecke gestalten oder auch einen schlichten Gegenstand als Zentrum seiner Sammlung wählen.

Formen des Gebets gibt es viele. An erster Stelle steht ohne Zweifel die Eucharistiefeier, zu der Jesus selbst uns mit der Bitte einlädt: »Tut dies zu meinem Gedächtnis.« Damit ist knapp der Kern der heiligen Messe angedeutet. Wir gedenken, wie Jesus in seinem Leben, in seinem Leiden und in seiner Auferstehung war. Ebenfalls gedenken wir, wie er unter uns als die Mitte unseres Lebens sein will. Die Eucharistiefeier will Jesus ins Zentrum unserer Aufmerksamkeit, unserer Zuneigung und unserer Hingabe rücken. Dieses Gedenken wird dann von selbst zum Danken, zur Feier der »Eucharistie« – das griechische Wort bedeutet ja Danksagung. In dieses Danken fließt alles ein, wofür wir dankbar sind. Auch unsere Sorgen und Bitten gehören dazu. Den Höhepunkt stellt dar, wenn Jesus sich selbst uns in seinem Leib und seinem Blut gibt. Damit tut er genau das, was charakteristisch ist für unseren Gott: denn Gott will sich uns *geben*. Das ist die Leidenschaft Gottes, in Jesus verkörpert und vorgelebt. Für diejenigen, die selbst nicht mehr in die Kirche oder Kapelle gehen können, gibt es die Möglichkeit, durch Fernsehübertragungen eine Messe zu erleben, was für viele alte Menschen zur Quelle des Trostes werden kann.

Das offizielle Gebet der Kirche ist das Stundengebet, in dem die Psalmen die Hauptrolle spielen. Augustinus sagt dazu: »Für uns betet Christus als unser Priester, in uns betet er als unser Haupt, zu ihm beten wir als zu unserem Gott. Erkennen wir also unsere Stimmen in ihm, aber auch seine Stimme in uns.«[12] Wer so betet, weiß sich vereint mit der ganzen Kirche, denn er stimmt ein in ein Gebet, das ständig an allen Orten der Erde zu Gott emporsteigt. Er betet so auch für alle Nöte der Welt, bekannte und unbekannte. Es gibt Laien, die das ganze Stundengebet täglich beten oder einen Teil davon, dann vor allem das Morgen- und das Abendgebet. Sie beten zu mehreren – auch als Ehepaar – oder allein. Das Stundengebet ist eine reiche und sehr sinnvolle Weise des Betens.

Verbreiteter ist das Rosenkranzgebet. Es ist das geliebte Gebet vieler alter Menschen. Den Rosenkranz betet man sowohl gemeinsam als auch alleine. In manchen Altenheimen, Pfarrkirchen und Kapellen kommen Menschen zu einer bestimmten Tageszeit zusammen und beten den Rosenkranz. Ein Mitbruder, der nach dem Zusammenbruch des Kommunismus mehrfach Schülerinnen und Schüler nach Albanien, dem ärmsten Land Europas, begleitet hat, um dort die Aufbauarbeit der Jesuiten zu unterstützen, erzählte, wie sich jeden Sonntag in einem Dorf die Menschen auf einem Platz im Schatten der Bäume versammelten und in einer orienta-

lisch anmutenden monotonen Sprechmelodie die
Gebete des Rosenkranzes sangen. Das war spürbar
eine ernste und wichtige Angelegenheit. Während
der kommunistischen Diktatur war jegliche Reli-
giosität unterdrückt worden. Selbst Beten wurde
mit Gefängnis und Verschleppung der Familie bestraft. Darüber kam mein Mitbruder mit dem 34-
jährigen Zef ins Gespräch. Zef erzählte: »Diese zehn
Finger« – er zeigte seine abgearbeiteten Hände –
»und die Erinnerung an die Geheimnisse des Rosenkranzes, die Menschwerdung, das Leiden und die
Verherrlichung Jesu, haben uns Christen bleiben
lassen, ohne Bibel und Sakramente. Nur der Rosenkranz ließ uns am Glauben festhalten«.[13]

Noch jemand, der das kommunistische Regime
persönlich erlebt und erlitten hat – Karol Wojtyla –
hat kaum zwei Wochen nach seiner Wahl zum Papst
in der Ansprache zum Angelus herzliche Worte für
das Rosenkranzgebet gefunden und seinen neuen
Dienst in den täglichen Rhythmus des Rosen-
kranzgebetes hineingestellt. Am Anfang des 25. Jah-
res seines Pontifikates, dem 16. Oktober 2002, hat er
uns – selbst inzwischen alt und gebrechlich geworden – in einem Apostolischen Schreiben noch einmal in sehr persönlichen Worten den Rosenkranz
empfohlen. Bei dieser Gelegenheit hat er die freu-
denreichen, die schmerzhaften und die glorreichen
Geheimnisse um fünf weitere Geheimnisse aus dem
öffentlichen Leben Jesu ergänzt. Er nennt sie die
lichtreichen Geheimnisse: 1. die Taufe Jesu im Jor-
dan; 2. die Selbstoffenbarung Jesu bei der Hochzeit

zu Kana; 3. die Verkündigung des Reiches Gottes mit dem Ruf zur Umkehr; 4. die Verklärung Jesu; 5. die Einsetzung der Eucharistie. Die neuen Rosenkranzgeheimnisse werden besonders für das Gebet am Samstag empfohlen.

Das Bittgebet, oft in persönlicher Form und in eigenen Worten, ist für viele Menschen wohl das natürlichste Gebet. Eltern und Großeltern beten für ihre Kinder und Enkelkinder. Das braucht sie niemand zu lehren. So wie man Kinder nicht lehren muss, ihre Wünsche den Eltern bekannt zu machen, so hat jeder Glaubende als Kind Gottes das Privileg, Gott zu bitten. Das gehört zum Vertrauensverhältnis. Nicht um Gott über unsere Nöte zu informieren, als ob er sie nicht kennen würde oder sie vergessen könnte, sondern um sie in seine Hände zu legen, sie ihm anzuvertrauen und ihm abzugeben. So wirkt das Bittgebet befreiend und heilsam. Wir müssen unsere Last nicht mehr allein tragen. Gott weiß um uns. Wir können ihn manchmal nicht verstehen, aber wir glauben an ihn, an seine Gegenwart, an sein verborgenes Wirken, an seine Güte. So wird unser Herz offen, um seine Gaben zu empfangen. Jedes Bittgebet schließt mit den Worten: »Aber nicht mein, sondern dein Wille soll geschehen« (Lk 22,42). Auch das gehört zum Vertrauensverhältnis. Es gibt Menschen, die dieses Wort zu früh sagen, weil sie nicht wirklich vertrauen, dass Gott ihre Bitte erhört und sie sich darum durch die vorschnelle Hinzufügung dieser Worte vor der Enttäuschung schützen wollen. Es gibt aber auch Menschen, die diese Worte der Hingabe zu spät oder gar nicht sagen. Dann wird ihr Beten fanatisch und ungesund. Es ist, als ob sie etwas von Gott erzwingen wollten. Auch hier gilt es wieder, das rechte Maß zu finden.

Im Bittgebet sind wir nie allein. Der Hebräerbrief sagt über den verherrlichten Jesus, dass »er allezeit lebt, um für sie [die durch ihn vor Gott hintreten] einzutreten [oder, in einer anderen Übersetzung: um ihr Fürsprecher zu sein]« (Hebr 7,25). Gemeinsam mit ihm treten auch die Heiligen als Freunde Gottes für uns in großer Solidarität vor Gott ein. In der Gesellschaft Jesu ist das Bittgebet offiziell die Aufgabe, die den alten Mitbrüdern, die nicht mehr im aktiven Einsatz sind, anvertraut wird. So steht im Namenskatalog, den jede Provinz jährlich intern veröffentlicht, hinter ihrem Namen: *orat pro ecclesia et societate* (er betet für die Kirche und die Gesellschaft). In meinen fast neun Jahren im Berliner Altersheim habe ich mit Freude erlebt, wie ernst diese Aufgabe genommen wird.

Das Bittgebet hängt zusammen mit dem Dankgebet. Im vorigen Kapitel wurde schon über die Dankbarkeit gesprochen. Natürlich drückt diese sich auch im Gebet aus. Dankgebet und Bittgebet ergänzen und stimulieren einander.

Es gibt viele Gebete, die wir nachbeten können. So bereichert der Schatz der christlichen Tradition unser Beten und eröffnet Horizonte, die wir alleine nicht entdecken würden. Manche Menschen formulieren ihr eigenes Gebet, in dem die persönliche

Lebenserfahrung, der konkrete Dank und die eigenen Sorgen ihren Platz finden. Allmählich entwickelt sich das zu einem kostbaren Schatz, durch den man Gott auf einzigartige Weise nahe ist.

Normalerweise wird das Beten immer ruhiger. Oft ist es ein stilles Verweilen unter dem liebenden Blick Gottes. Es tut gut, sich bei ihm aufzuhalten. Es muss nicht mehr viel gesagt werden, denn Gott weiß ja schon alles. Was immer an Freuden und Leiden, Wünschen und Sorgen, Erfolgen und Misserfolgen zu Bewusstsein kommt, kann man einfach mit Gott teilen und ihm anheim geben. Gott schaut uns liebevoll und mit großem Wohlwollen an und freut sich an unserem Dasein. Das ist genug. Wir sind sein »Augen-Blick«, dauernd. Bekannt ist die Geschichte vom Pfarrer von Ars, der sah, wie ein Bauer regelmäßig und lange in der Kirche saß, und diesen eines Tages fragte, was er denn so lange in der Kirche mache. Die Antwort lautete: »Gott schaut mich an, und ich schaue ihn an.« In diesen schlichten Worten ist der Kern des Betens knapp und treffend formuliert. Schon viele alte Menschen konnten das selbst entdecken und darin eine tiefe und ruhige Freude finden. Mühelos halten sie alle hin, die ihnen lieb sind, und dazu die eigene Person. So ist es gut.

6. Hingabe

Es ist ein Grundgesetz des Lebens, dass Wachstum, Hineinwachsen in Neues immer auch Loslassen bedeutet. Verstopfung ist eine Krankheit, sowohl körperlich wie geistig. Namhafte Psychologen sehen die Wurzel aller neurotischen Störungen in der Weigerung, voranzugehen, erwachsen zu werden und dafür aufzugeben, was überholt ist. Im Alter liegt der Akzent immer stärker auf dem Loslassen und immer weniger auf dem Neuen, in das man hineinwächst. Darum ist es angebracht, dass der Alternde sich Mühe gibt, für Neues offen zu bleiben, auch wenn er gerade dafür vieles aufgeben muss. In seiner letzten Botschaft an die Gesellschaft Jesu, die wir im vierten Kapitel erwähnten, ließ der schwerkranke, 75-jährige P. Pedro Arrupe vorlesen: »Denen, die in meinem Alter sind, empfehle ich dringend Offenheit. Wir müssen herausfinden, was jetzt zu geschehen hat, und es mit Nachdruck tun.«

Das Loslassen ist zum größten Teil eine schmerzliche Erfahrung, in die man sich aber bewusst hineinbegeben muss. Man kann hier weder mogeln noch etwas überspringen. Es ist ein Prozess, der sich in vielen Bereichen vollzieht. Meistens wird man weniger materielle Dinge besitzen als zuvor, man hat weniger Energie und Widerstandskraft, man trägt weniger Verantwortung und wird nicht mehr in so viele Angelegenheiten wie früher einbezogen.

Oft bekommt man weniger Achtung entgegengebracht, die Bewegungsfreiheit wird eingeschränkt, Kontakte werden weniger, Beziehungen brechen ab. Man hat immer mehr Freunde unter den Verstorbenen, manchmal verlieren Sicherheiten und Überzeugungen an Kraft, viele Räume werden leerer. Man lernt ungeahnte Formen der Armut kennen, wird nach und nach seines Glanzes beraubt und fühlt sich bisweilen wie entblößt. Wie viele haben Trost in Jesu Wort an Petrus gefunden: »Amen, amen, das sage ich dir: Als du noch jung warst, hast du dich selbst gegürtet und konntest gehen, wohin du wolltest. Wenn du aber alt geworden bist, wirst du deine Hände ausstrecken, und ein anderer wird dich gürten und dich führen, wohin du nicht willst« (Joh 21,18). Dabei besteht sowohl bei dem, dem geholfen wird, wie bei dem, der die Hilfe leistet, die Gefahr eines autoritären Benehmens. Es muss immer wieder ein neues Gleichgewicht gefunden werden; das ist anstrengend und manchmal mühsam. »Loslassen« ist ein Tätigkeitswort!

Ein Mitbruder stellt sich in seiner Phantasie die Begegnung mit Christus folgendermaßen vor: In einem großen, hellen und stimmungsvoll geschmückten Saal steht ein langer Tisch, an dessen Haupt Jesus als Gastgeber sitzt. Um den Tisch herum sitze ich, in meinen vielen Gestalten und Teilpersönlichkeiten. Mein ganzes Wesen ist präsent, alles, was ich meine Person nenne. Gewisse Gestalten sind mir bekannt, aber die meisten sind mir nicht bewusst. Sie sind alle eingeladen zu diesem Fest, keiner wird vergessen oder abgelehnt. Christus ist es, der sie alle einlädt. Ich bin bestürzt darüber, wer alles erscheint. Ich muss alle meine Gestalten willkommen heißen und ihnen einen Platz am Tisch anbieten: meine vielen Körpergestalten, meine Erinnerungen, meine Schuldgefühle, meine Ängste. ... Es ist ein Schock, als mein »hohes Alter« in den Saal eintritt! Es erzählt mir, wie es bei ihm zugeht, und sagt: »Nach und nach werde ich dir etwas wegnehmen. Vielleicht beginne ich mit deinen Zähnen, dann kommt dein Haar dran, dein frisches Antlitz, dein Gedächtnis. ... Du hast jedesmal die Wahl: Wenn du freiwillig abgibst, was ich von dir will, dann gebe ich es deinem Schöpfer als dein Geschenk zurück; weigerst du dich aber, dann nehme ich es dir weg und trage es in unser Grab.« Diese Phantasie kann vielleicht als eine plastische und drastische Erläuterung zu dem Jesus-Wort gelten: »Wer sein Leben retten will, wird es verlieren; wer aber sein Leben um meinetwillen verliert, wird es gewinnen« (Mt 16,25).

Vielleicht muss das Loslassen erheblich weiter gehen, als wir selbst planen. Menschen, die ihr ganzes Leben lang aus dem Glauben gelebt und andere im Glauben gestärkt haben, geraten in der Endphase ihres Lebens gelegentlich in eine dunkle Nacht des Glaubenszweifels und der inneren Unsicherheit. Das kann eine sehr schmerzliche Erfahrung sein, in der dem alt werdenden Menschen gründlich alle Selbstsicherheit genommen und blinde Hingabe abverlangt wird. Eine derartige Dunkelheit erlebte Therese von Lisieux (1873–1897) in den letzten

Monaten ihres kurzen Lebens, so dass sie fest davon überzeugt war, gar nicht mehr zu glauben. Für diese Karmelitin, die ihr ganzes Leben radikal auf den Glauben gegründet hatte, war das eine sehr schmerzliche Entäußerung. »Gott, Gott ist wie eine Mauer«, sagte sie. Aber auch in dieser Getsemani-Prüfung blieb sie treu und konnte sogar oft wiederholen, dass alles Gnade sei. Anderen dagegen wird es vergönnt sein, ohne irgendeinen merkbaren Zweifel dem Tod entgegenzugehen und ihre Seele dem Schöpfer zurückzugeben. Gottes Wege sind unergründlich, und so soll es auch sein. *Si comprehendis, non est Deus*, sagte Augustinus: Wenn du (etwas oder jemanden) verstehst, ist es nicht Gott.

Eine Wesenseigenschaft Gottes ist, dass er sich geben will. Gott ist Mitteilung, Selbstmitteilung – so weit das möglich ist. Das ist es, was im Geheimnis der Dreifaltigkeit dauernd geschieht. Der Vater gibt sich ganz dem Sohn, so dass die Fülle des Vaters im Sohn und der Sohn dem Vater wesensgleich ist. Der Sohn gibt sich ganz dem Vater, ohne irgendeine Reserve oder Zurückhaltung. Er ist völlige Hingabe. In der Erschaffung der Welt will Gott sich ebenfalls, so sehr er kann, den Menschen geben. Im Leben Jesu wird diese völlige Hingabe fortgesetzt. »Ich tue immer, was ihm [dem Vater] gefällt« (Joh 8,29). Auch für die Menschen gibt er sich hin, bis in den Tod, den Tod am Kreuz (vgl. Phil 2,7f.). In der Eucharistie wird diese Selbstgabe Jesu verewigt. Gott ist eine immerwährende Dynamik des Sich-Schenkens.

Des Menschen wichtigste Eigenschaft ist folglich

die Empfänglichkeit. Das Loslassen, das im Alter mehr und mehr geschieht, ist eine Einübung des endgültigen Loslassens in der letzten Stunde hier auf der Erde. Im Sterben muss ja jeder alles zurücklassen, Menschen und Dinge, und allein in den Tod gehen. Aber das Loslassen ist nicht das Ende, sondern es bereitet uns auf das große Empfangen vor, wenn wir von Gott ganz erfüllt werden. »Wir verkündigen, wie es in der Schrift heißt, was kein Auge gesehen und kein Ohr gehört hat, was keinem Menschen in den Sinn gekommen ist: das Große, das Gott denen bereitet hat, die ihn lieben« (1 Kor 2,9). Unser Leben läuft nicht ins Leere, sondern ist auf eine Fülle hingeordnet, die wir gar nicht erahnen können.

Die vielleicht wichtigste Aufgabe des Alterns ist die Hingabe. Das letzte Wort Jesu im Lukasevangelium ist ein Wort der Hingabe: »Vater, in deine Hände lege ich meinen Geist« (Lk 23,46, ein Zitat aus Ps 31,6). Es ist ein kompaktes Gebet der Hingabe, und es ist gut, diese Worte immer wieder mit Jesus zu beten. Sie können unsere Tage und unsere Nächte begleiten. Was uns belastet oder unruhig macht, was uns erfreut und dankbar stimmt, was in einem Gespräch oder in der Erinnerung in unser Bewusstsein kommt, die Erfahrungen unserer Hinfälligkeit: wir können nichts Besseres tun als sie Gott hinhalten und anvertrauen. Eine unheilbare Krankheit, der Verlust eines geliebten Menschen oder eines engen Vertrauten, der ungewisse Ausgang eines wichtigen Ereignisses: in allen Fällen ist die Hingabe an Gott unsere beste und fruchtbarste Haltung. Das bedeutet nicht, dass man selbst nichts unternimmt, sondern dass das, was man unternimmt, auf Gott abgestimmt ist und in Vereinigung mit ihm geschieht. »Leben wir, so leben wir dem Herrn, sterben wir, so sterben wir dem Herrn. Ob wir leben oder ob wir sterben, wir gehören dem Herrn« (Röm 14,8).

Es gibt viele Gebete der Hingabe, die länger sind als die Bitte Jesu am Kreuz. Sie können helfen, das, worauf es ankommt, besser zu artikulieren und zu begreifen. Von den Psalmen können Ps 23 und 139 besonders hilfreich sein. Das Gebet von Nikolaus von der Flüe drückt in geschliffener Form ein außerordentliches Gottverlangen und Gottvertrauen aus. Schön und reich sind die Hingabegebete von Charles de Foucauld und von Ignatius von Loyola. Alle drei findet man im »Gotteslob« (GL 5,1; 5,5; 5,6). Edith Stein, Rupert Mayer und die Lübecker Märtyrer hatten ihre Hingabegebete, die alles andere als unverbindlich waren.

Die Hingabe ist ein Prozess. Sie muss wachsen und immer wieder neu erbeten werden. Sie ist nicht passiv, sondern eine Hochform und die Krönung der Aktivität; und doch gilt, dass Gott sie in uns wirkt. Sie ist nicht statisch, nicht etwas, das man *hat*, sondern sie muss immer wieder eingeübt und geschenkt werden. Das Zusammenwirken von Gott und Mensch ist nirgends so intim wie gerade hier. Eine Hingabe, die man selbst macht, ist noch keine völlige Hingabe, eben weil man sie noch selbst leistet. Die vollständige Hingabe erfordert ein subtiles

Gleichgewicht zwischen göttlicher und menschlicher Wirksamkeit, das nur in der Übung selbst möglich ist, so wie das Gleichgewicht beim Radfahren nur im Fahren erreicht wird; im Stillstand wird es kaum gelingen.

Hingabe setzt voraus, dass man sein Leben aus Gottes Hand empfangen und angenommen hat. Weil man der Hand vertraut, die uns das Dasein geschenkt hat, kann man es auch in diese Hand zurückgeben. Je mehr Geborgenheit man erfahren hat, desto leichter kann man loslassen. Man klammert sich dann nicht krampfhaft an dem fest, was man erworben hat. Jesus erzählt das Gleichnis von einem Schatz, den ein Mann in einem Acker entdeckt. »In seiner Freude verkaufte er alles, was er besaß ...« (Mt 13,44). So ist das Himmelreich! Ein schönes Beispiel, wie Erfüllung zur Hingabe führt, gibt uns der alte Simeon bei der Darstellung Jesu im Tempel (Lk 2,25–35). Im Kind Jesus hat er den Messias, den lang erwarteten, erkannt. In diesem Kind haben seine Augen das Heil gesehen. Nun kann er in tiefem Frieden sein Leben beenden und es Gott zurückgeben. Mich bewegt das Gemälde, in dem Rembrandt diese Szene dargestellt hat. Mich berührt auch, dass es das letzte Gemälde ist, das Rembrandt geschaffen hat. So hat er nach allen Höhen und Tiefen seiner Karriere sein Leben auf seine unnachahmliche Weise an Gott zurückgegeben.

7. Einfachheit und Vergebung

Ignatius nennt als erstes Ziel seiner Geistlichen Übungen: »sein Leben ordnen«. Im Alter liegt es besonders nahe, das ganze lange – oder vielleicht auch nicht so lange – Leben noch einmal ordnend anzuschauen. Die Pflicht, die Fähigkeit und hoffentlich auch der Ehrgeiz, Leistungen nach außen hin zu erbringen, lassen nach. Damit öffnet sich, mehr als vorher, der Weg nach innen. Viel Überflüssiges verschwindet, wobei der Umzug in eine kleinere Wohnung oft schon eine ganz natürliche äußere Hilfe darstellt. Wer bis dahin kein Testament gemacht hat, muss sich jetzt dieser heiklen Aufgabe stellen, die immer eine diffizile Beziehungssache und eine bewusste Konfrontation mit dem Sterben bedeutet. Aber auch im Innenleben will man reinen Tisch machen. So erwächst eine Einfachheit, die sehr schön und stimmig werden kann – ähnlich dem Vorgang, von dem Hemingway erzählt: wie er die erste Fassung eines Manuskripts viele Male durchging, nur um zu streichen und wegzulassen und so ein kräftiger und dichter Text entstand wie »Der alte Mann und das Meer«, für den er den Nobelpreis für Literatur erhielt.

Selbstverständlich wird ein jeder dem Verlangen, sein Leben zu überblicken und Bilanz zu ziehen, auf ganz persönliche Weise nachkommen; aber es ist wohl für alle befreiend und lebensfördernd, diesem

Bedürfnis Raum zu geben und die Synthese des Lebens sich entfalten zu lassen. Die Sinnfrage wird neu und wahrscheinlich auch eindringlicher gestellt. Man versucht den roten Faden seines Lebens zu entdecken und die Vergangenheit zu integrieren. Ich erinnere noch einmal an das Wort von C. G. Jung: »Man wandelt nur, was man annimmt.« Enttäuschungen und Traumata kommen hoch und wollen ihren richtigen Platz bekommen, damit auch sie Frucht bringen. Bei Gott geht nichts verloren, sondern alles kann zum Guten geführt werden (vgl. Röm 8,28). Beim ruhigen Hinschauen entpuppt sich manches, das als negativ erfahren wurde, nun doch als ein getarnter Segen, wie die Engländer es nennen: *a blessing in disguise*. Ein Text Jesajas kann den Leitfaden zu dieser Betrachtung des eigenen Lebens bieten: »Jetzt aber – so spricht der Herr, der dich geschaffen hat, Jakob, und der dich geformt hat, Israel: Fürchte dich nicht, denn ich habe dich ausgelöst, ich habe dich beim Namen gerufen, du gehörst mir« (Jes 43,1). In dieser Perspektive kann man sein Leben anschauen und vielleicht sogar seine Lebensgeschichte aufschreiben und sie dann eventuell guten Freunden zu lesen geben. Meistens gibt es ein großes Bedürfnis, vertrauten Menschen aus seinem Leben zu erzählen, und es ist ein Segen, wenn sich die Gelegenheit dazu ergibt.

Auf zwei Punkte möchte ich etwas näher eingehen, nämlich auf die Vergebung, die wir anderen schulden, und auf die Vergebung, die wir selbst brauchen.

Vergebung schenken

Jesus hat in seiner Lehre oft betont, dass wir einander die Schuld vergeben sollen. Er hat es sogar zu einer brisanten Bitte im Vaterunser gemacht: »Vergib uns unsere Schuld, wie auch wir vergeben unsern Schuldigern.« Er hat selbst Menschen ihre Schuld und Sünde vergeben. Kurz vor seinem Tod am Kreuz hat er nicht selbst vergeben, sondern den Vater gebeten: »Vater, vergib ihnen, denn sie wissen nicht, was sie tun« (Lk 23,34). Mit diesem heroischen Beispiel hat er seine Lehre bekräftigt.

Vergeben kann sehr schwer sein. Wir sollten uns dessen respektvoll bewusst sein, wie viel Mühe es uns selbst und auch den anderen kostet, Vergebung zu schenken. Der Versuch, jemanden zum Vergeben zu nötigen, ist ein innerer Widerspruch und alles andere als hilfreich. Wir sollten auch Geduld haben, wenn wir selbst oder wenn andere viel Zeit brauchen, um zur Vergebung heranzureifen. Hier darf man nichts überspringen. Wer einen Schritt zu früh macht, wird später merken, dass der Boden nicht trägt. Das soll jetzt kein Plädoyer dafür sein, nicht zu vergeben, sondern dafür, die Vergebung ernst zu nehmen.

Die Not mit der Vergebung ist sehr groß. Die Aggressivität und die Gewalt nehmen in unserer Welt zu. Man erlebt es im Fernsehen, im Straßenverkehr, bei Sportveranstaltungen, in den Schulen. Der Strom der Gewalt muss durch Vergebung umgeleitet werden. Papst Johannes Paul II. wird nicht müde zu betonen, dass es keinen Frieden gibt ohne Gerechtigkeit und keine Gerechtigkeit ohne Vergebung. Zu Ostern 1960 schrieb Dag Hammarskjöld in sein Tagebuch: »Die Vergebung durchbricht die Ursachenkette.« Ohne Verzeihung bleiben wir in einem Teufelskreis von Gewalt und Unrecht gefangen.

Es scheint mir nützlich, einige häufige Missverständnisse zu beseitigen:

- Vergebung ist nicht blauäugige Naivität, die alles beschönigt und das Böse weginterpretiert. Dann wäre im Grunde nichts mehr zu vergeben, und man ist vor einer schweren Aufgabe davongelaufen.

- Vergebung ist nicht Verdrängung, die ihre Ruhe sucht und der Auseinandersetzung mit dem Unrecht ausweicht. Verdrängung ist nie eine dauerhafte Lösung eines Problems. Seine Wut auszudrücken kann Konflikt und Feindschaft zur Folge haben. Seine Wut hinunterzuschlucken und zu verdrängen hat aber ebenfalls seinen Preis; es kann zu Müdigkeit und Depression führen und der Gesundheit schaden. Wut ist ein Gift: giftig in seinem unkontrollierten Ausdruck, aber auch sehr giftig in seiner Verdrängung. Vergebung stellt sich dem Bösen und geht mutig und weise mit ihm um.

- Vergeben ist nicht vergessen. Tiefes Unrecht, das wir erlitten haben, bleibt gespeichert in unserem Gedächtnis, in unserer Psyche und manchmal in unserem Körper. Die Verletzung hinterlässt Narben, die an das erinnern, was uns angetan wurde.

Im Vergeben vergessen wir nicht, sondern wir erinnern uns anders. Wir erinnern uns jetzt in einer Weise, die keinen Groll und keine Verbitterung hortet und die uns nicht länger an den fesselt, der uns Böses getan hat. Die Vergebung öffnet einen Weg in die Zukunft, während der Groll uns in der schlechten Vergangenheit gefangen hält.

• Vergeben ist keine Schwäche, die sich der Realität nicht zu stellen wagt, ohne Überzeugung und ohne echte Bindung. Ganz im Gegenteil: Vergebung ist mutig und erfordert viel Kraft.

• Vergebung ist nicht identisch mit Straffreiheit. Auch wenn der Täter schon vor Gericht oder anderswo auf gerechte Weise bestraft wurde, bleibt dem Opfer die Aufgabe der Vergebung. Juridische Bestrafung geschieht »draußen«, im anderen; Vergebung geschieht im eigenen Herzen. Umgekehrt bedeutet, einem Menschen seine Bosheit zu verzeihen, nicht ohne weiteres, auf gerechte Bestrafung zu verzichten.

• Vergebung ist nicht gleich Versöhnung. Letztere braucht wenigstens zwei Personen, während erstere unabhängig vom Kontakt mit dem Täter möglich ist. Es kann Fälle geben, in denen es besser ist, es bei der Vergebung zu belassen und keine Versöhnung anzustreben, zum Beispiel im Falle einer Vergewaltigung.

Vergebung ist schwierig, denn in unserer Natur will sich etwas an unserer Verletzung und an unserem – berechtigten! – Groll festklammern. Diese sind für uns wie ein kostbarer, dunkler Schatz. Wir können uns in unsere Verletztheit zurückziehen, uns darin einnisten und einkapseln und so unseren Groll und Schmerz pflegen. Dies kann zu einer Art Sucht werden. In der Haltung des Grolls stirbt aber auf Dauer etwas in uns ab, wie etwa der Humor, die Spontaneität, die Energie, die Träume und das Selbstwertgefühl; ganz gewiss schadet er auch der Gesundheit. Wahrhafte Vergebung raubt uns diesen düsteren und zerstörerischen Schatz; entsprechend lautet eine Definition von Vergebung: »den Groll, zu dem man berechtigt ist, aufgeben« und damit auch das Verlangen nach Rache und Vergeltung.

Vergebung bedeutet zu reifen: vom Zustand des passiven Opfers ohne Kontrolle über die Gefühle hin zur Einsicht, dass wir selbst die Quelle unserer Gefühle sind. Vergebung ist die langsam gewachsene Einsicht, dass wir den anderen Menschen nicht unter Kontrolle haben können. Wahrhafte Vergebung ist eine große Herausforderung, wie ein Springen über den eigenen Schatten. Wenn das nicht gelingt, bleiben wir in der Entfaltung der Persönlichkeit, in unserem Leben nach dem Evangelium und im Gebetsleben auf halber Strecke stecken. Wir drehen uns in einem Kreis von endlosen Wiederholungen, die manchmal neurotisch werden. Wir tragen Misserfolge, Scheitern, durchkreuzte Pläne, Verletzungen unserer Ehre und unserer Sensibilität als eine drückende und erstickende Last mit uns. Nur in der Vergebung bricht etwas wirklich Neues in unsere Welt hinein. Dann entsteht ein Freiraum, in dem sich das Leben weiterentwickeln kann.

Vergebung kostet Kraft; aber nicht zu vergeben heißt, viel Lebensenergie und Lebensfreude verschwenden bzw. zerstören. Es ist eine Wohltat und eine Erlösung, vergeben zu können. Normalerweise ist die Vergebung ein langer Prozess. Zuerst muss man die bewusste Entscheidung treffen, sich auf diesen Prozess einlassen zu wollen. Danach braucht man die Geduld, den Weg der Vergebung wirklich zu gehen. Ich vergleiche ihn gerne mit einer Spirale. In einer Spirale kommt man voran, aber nur in einer kreisförmigen Bewegung, in der man in jeder Runde wieder am kritischen Punkt vorbeikommt. Dort wird man mit dem Täter konfrontiert und muss ihm immer wieder aufs neue verzeihen.

Vergessen wir nie, dass dieser ganze Prozess Gnade ist. Darum ist der vielleicht beste Ort, um zu lernen, wie man Vergebung schenkt, sich unter ein Kruzifix zu setzen, Jesus am Kreuz anzuschauen, seine Worte »Vater, vergib ihnen ...« zu hören und sie immer wieder nachzusprechen.

Vergebung empfangen

Wenn wir uns schwer tun zu vergeben, dann ist Gott eindeutig der ganz Andere, denn er liebt es über die Maßen zu verzeihen. Der Prophet Micha staunt über die Freude, die Gott am Verzeihen findet (Mi 7,18–20): Wer ist ein Gott wie du, der du Freude daran findest, barmherzig zu sein! Der Prophet Zefanja versichert uns: »Gott hat das Urteil gegen dich aufgehoben. ... Er schafft dich neu in seiner Liebe. ... Er entzückt sich an dir in der Freude« (Zef 3,15–17, übersetzt von Martin Buber). Jesus sagt es noch viel klarer und überzeugender. Als die Pharisäer und die Schriftgelehrten sich empören, dass er sich mit Zöllnern und Sündern abgibt, erzählt Jesus drei Gleichnisse: vom verlorenen Schaf, von der verlorenen Drachme und vom verlorenen Sohn (Lk 15). Alle drei haben die gleiche Sinnspitze, nämlich die Freude des Finders. Damit schildert Jesus ein Bild seines Vaters. Vorher hat er behauptet, dass »niemand weiß, wer der Vater ist, nur der Sohn und der, dem es der Sohn offenbaren will« (Lk 10,22). Genau das will er jetzt tun: uns den Vater offenbaren. Mit dieser Absicht beschreibt er lebendig und eindringlich die Freude, die der Vater im Vergeben findet. So ist unser Gott!

Ein Satz von Werner Bergengruen in der Novelle »Der spanische Rosenstock« hat mir geholfen, die Bedeutung der drei Gleichnisse in Lk 15 besser zu verstehen. Der Satz lautet: »Zwar erprobt sich die Liebe in der Treue, sie vollendet sich aber in der Vergebung.« Gott *ist* Liebe. Weil die Liebe sich in der Vergebung vollendet, können wir sagen, dass Gott dann am göttlichsten ist, wenn er vergibt. So leuchtet mir die Freude auf, die Gott im Vergeben findet, eben weil es seinem tiefsten Wesen entspricht. Gott hat viele Namen. Ein ganz besonderer Name, der eng mit dem Namen »Jahwe« zusammenhängt, ist »der Getreue«. Ein reichhaltiger Name ist auch »der Barmherzige«, das heißt der uns auch in unserer

Schuld treu bleibt; der es liebt, gnädig zu sein; bei dem immer Vergebung ist.

Es gibt wohl keinen Menschen, in dessen Lebensgeschichte nicht einige Episoden vorkommen, für die er sich schämt und an die er nicht gerne denkt oder erinnert wird. Die Schuld drückt oft schwer auf Menschen. Die *Gestalt* der Schuld ist heute oft anders als in früheren Zeiten. Es hat sich ein neues Unrechts- und Schuldbewusstsein entwickelt, das sich weniger auf Gesetze und Gebote ausrichtet, sondern mehr auf Wahrhaftigkeit, Gerechtigkeit und sorgfältigen Umgang mit der Natur. In diesem Schuldbewusstsein verurteilen viele sich selbst hart, weil sie nicht der Gerechtigkeit entsprechend leben. Was der Psalmist damals betete, gilt noch immer: »Alle Menschen kommen zu dir unter der Last ihrer Sünden. Unsere Schuld ist zu groß für uns, du wirst sie vergeben« (Ps 65,3f.). Jeder Mensch braucht Vergebung. Und die gute Nachricht ist, dass Jesus uns den Weg zum barmherzigen Vater öffnet.

Jesus sagt uns ausdrücklich, dass er gekommen ist, »um die Sünder zu rufen, nicht die Gerechten« (Mt 9,13). Pech für die Gerechten! Der Engel erklärt für Josef den Namen Jesus so: »Er wird sein Volk von seinen Sünden erlösen« (Mt 1,21). Der Name artikuliert die Identität. Als Johannes der Täufer Jesus einführt, nennt er ihn: »das Lamm Gottes, das die Sünde der Welt hinwegnimmt« (Joh 1,29). Auf vielfältige Weise wird uns so zugesagt, dass Menschen mit dem Bewusstsein von Schuld vor Jesus keine Angst zu haben brauchen; im Gegenteil, gerade für sie ist er gekommen. Er vergibt die Sünde auf mitfühlende Weise, ohne zu demütigen. Zu der Ehebrecherin sagt er: »Hat keiner dich verurteilt? ... Auch ich verurteile dich nicht. Geh und sündige von jetzt an nicht mehr« (Joh 8,10f.). Es ist nie zu spät. Dem guten Schächer sagt er in der letzten Stunde: »Heute noch wirst du mit mir im Paradies sein« (Lk 23,43). Bei ihm ist Erlösung in Fülle.

Vergebung ist etwas, das man nicht selbst machen kann. Man muss sie sich schenken lassen. Da ist der Mensch nur empfangend. Für manchen ist das keine leichte Rolle. Viele wollen alles selbst machen. Hier aber ist nichts zu *machen*, sondern unendlich viel zu empfangen. Gott vergibt auf viele Weisen. Sie finden ihren Höhepunkt im Sakrament der Versöhnung, dem Ostergeschenk des auferstandenen Herrn an seine Kirche (Joh 20,22f.). Oben wurde betont, dass es ein langer Prozess ist, Vergebung zu schenken. Ebenso gilt jetzt, dass es viel Zeit erfordert, Vergebung zu empfangen. Es dauert lange, bis sich dieses Wunder ganz verinnerlicht und die Spitze der Seele erreicht hat. In der katholischen Tradition der letzten Jahrhunderte ist die Nachbereitung der Beichte meist vernachlässigt worden. Die Vorbereitung wurde vielleicht überbetont, aber *nach* der Beichte waren wir gewöhnlich viel zu schnell. Die Nachbereitung ist ebenfalls ein Prozess, und dieser Prozess ist erst richtig vollendet, wenn man auch sich selbst vergeben hat, das heißt, wenn die Vergebung Gottes sich völlig entfaltet hat und uns ganz umfasst.

Im Empfangen der Vergebung Gottes liegt eine doppelte Freude. Zuerst die Freude der Erleichterung. Diese ist ganz natürlich und gesund. Hinzu kommt jedoch eine übernatürliche Freude, nämlich ein Teilhaben an der Freude, mit der Gott vergibt. Etwas von dieser göttlichen Freude strömt in uns über, so wie der verlorene Sohn die Freude seines Vaters spürte, als er von ihm so herzlich umarmt wurde. Diese Freude ist wie Balsam auf der Seele eines jeden, der unter seiner Schuld gelitten hat. Gott schenkt sie uns gerne, sehr gerne.

Im Schenken und im Empfangen der Vergebung liegen wichtige Aufgaben des Alters. Wahrscheinlich liegt in ihnen unser wichtigster Beitrag zu der Klarheit, die wir brauchen, um in Frieden und Zuversicht die letzte Wegstrecke unseres Lebens zu gehen. Es gibt wohl keinen besseren Weg, sich auf die große Reise vorzubereiten, die uns am Ende bevorsteht. Der Herr wird uns einen Frieden geben, den die Welt uns weder geben noch nehmen kann.

8. Der Tod gehört zum Leben

Unsere Kultur hat eine einseitige Sicht auf den Tod. Er wird stark als Niederlage empfunden. »Der Verstorbene starb an Herzversagen« oder »an Kreislaufversagen«, so heißt es in der Todesanzeige. Das stimmt zweifellos. Aber das Versagen prägt zu sehr unser Bild vom Tod. Unsere Zeit hat enorme technische Leistungen vollbracht, auch im medizinischen Bereich, aber mit dem kleinen Rest, den sie nicht beherrschen kann, tut sie sich sehr schwer. In meinen Jahren im Peter-Faber-Kolleg in Berlin habe ich den Tod vieler Mitbrüder erlebt. Weil der Friedhof immer eine lange Warteliste hatte, fand die Beerdigung gewöhnlich erst etwa zehn Tage nach dem Tod statt – was ich übrigens nie ganz verstanden habe –, aber der Leichnam wurde schon ein oder zwei Stunden nach dem Sterben durch das Bestattungsinstitut aus unserem Haus abgeholt. Es blieb kaum Gelegenheit, Abschied zu nehmen. Ich empfand das als symptomatisch. Eine Kultur, die den Tod verstecken will, ist nicht vollwertig. Das Sterben ist nicht nur Versagen, sondern auch Vollendung des Lebens. Das wird zu wenig beachtet.

Etty Hillesum war eine Jüdin, die während des Zweiten Weltkrieges in Amsterdam die deutsche Besatzung und die Judenverfolgung erlebte. Sie schrieb am 3. Juli 1942 – sie war 28 Jahre alt – in ihr Tagebuch: »Ich habe unserem Untergang ins Auge geblickt, unserem vermutlich elenden Untergang, der sich jetzt schon in vielen Kleinigkeiten des täglichen Lebens ankündigt, und diese Möglichkeit habe ich in mein Lebensgefühl einbezogen, ohne dass mein Lebensgefühl dadurch an Kraft verloren hätte. ... Die Möglichkeit des Todes ist mir absolut gegenwärtig; mein Leben hat dadurch eine Erweiterung erfahren, dass ich dem Tod, dem Untergang ins Auge blicke und ihn als einen Teil des Lebens akzeptiere. Man darf nicht vorzeitig einen Teil des Lebens dem Tod zum Opfer bringen, indem man sich vor ihm fürchtet und sich gegen ihn wehrt; das Widerstreben und die Angst lassen uns nur ein armselig verkümmertes Restchen Leben übrig, das man kaum noch Leben nennen kann. Es klingt fast paradox: Wenn man den Tod aus seinem Leben verdrängt, ist das Leben niemals vollständig, und indem man den Tod in sein Leben einbezieht, erweitert und bereichert man das Leben. Ich habe keinerlei Erfahrung mit ihm. Dem Tod gegenüber bin ich jungfräulich ..., für meine Person habe ich ihn nie ernstlich in Betracht gezogen, dazu hatte ich keine Zeit. Und jetzt ist der Tod gekommen, in seiner vollen Größe, zum erstenmal und doch wie ein alter Bekannter, der zum Leben gehört und akzeptiert werden muss. Es ist alles ganz einfach. Es bedarf keiner tiefsinnigen Betrachtungen. Unversehens ist der Tod in mein Leben getreten, groß und einfach und selbstverständlich und fast geräuschlos. Er hat seinen Platz darin eingenommen, und ich weiß jetzt, dass er zum Leben dazugehört.«[14]

Jeder stirbt auf seine persönliche Weise, oft – aber nicht immer – so wie er gelebt hat. Er bestätigt damit noch einmal, dass das Sterben zum Leben gehört. Ein hochbetagter Jesuit vertraute einem Mitbruder an, dass er seinen Tagen keinen Inhalt und Sinn mehr abgewinnen könne. Eigentlich warte er auf Gott, »wie der Hirsch lechzt nach frischem Wasser« (Ps 42), voller Neugier, wie Gott, dem er sein Leben geweiht hatte und dem er bald begegnen würde, aussehe. Er betete, nachts im Schlaf sterben zu dürfen, aber immer mit dem demütigen Zusatz: Nicht mein, sondern dein Wille geschehe. Das Leben bringt uns viele kleine Einübungen in das Sterben. Es kommt dann nicht mehr unerwartet. Mit dem guten Schächer kann man beten: »Jesus, gedenke meiner, wenn du in dein Reich gekommen bist« (Lk 23,42).

In jeder Eucharistiefeier, und zwar an ihrem Höhepunkt, beten wir gemeinsam: »... bis du kommst in Herrlichkeit.« Man kann diese Worte auch persönlich nehmen und auf Christi Kommen in unserem Tod beziehen, denn im Grund gibt es nur *ein* Kommen des Herrn, immerfort, das sich einmal vollenden wird. Es ist Gottes Sehnsucht nach uns, mehr noch als unsere Sehnsucht nach ihm. »Ich gehöre meinem Geliebten, und ihn verlangt nach mir«, sagt die Braut im Hohenlied (Hld 7,11). Das gilt für jeden von uns und macht das Leben, vor allem den letzten Teil des Lebens, sinnvoll. »Ihn verlangt nach mir!« Beim Propheten Hosea sagt Gott zum Volk Israel als zu seiner Braut, dass er sie »verlocken und umwerben« werde (vgl. Hos 2,16). Nach dem Neuen Testament kann man dieses Wort auch für sich persönlich deuten. Es ist ein reizvolles Bild, das eine noch viel beglückendere Wirklichkeit ausdrückt. Unserem Gott ist alles daran gelegen, unsere Aufmerksamkeit, unsere Zuneigung und unsere Hingabe zu gewinnen. Darin liegt der tiefe Sinn unseres Lebens: dass Gott uns mit einer solchen Liebesintensität sucht. Hier liegt der Grund unserer Existenz: Gottes Verlangen nach uns. Mutter Teresa von Kalkutta, die kleine Therese von Lisieux und die große Teresa von Avila haben alle drei das Wort des gekreuzigten Jesus »mich dürstet« in diesem Sinne verstanden: Jesus dürstet nach unserer Liebe. In diesem Wort fanden diese großen Frauen eine starke Motivation dafür, sich ganz für Jesus einzusetzen und sich ihm hinzugeben, jede auf ihre Weise. Sie sind dem Gott der Liebe begegnet, der uns von der Angst befreit. Es ist der Gott, der nicht *etwas* von uns will, sondern der *uns* will, mit großer Leidenschaft.

Selbstverständlich spielt beim Hinleben auf den Tod das Gottesbild eine große Rolle. Viel hängt davon ab, wie man sich Gott vorstellt. Wer in Gott vor allem den strengen Richter sieht, der nach dem Tod rigoros unser ganzes Leben beurteilen wird, wird nicht leicht nach dem Tod verlangen. Leider denken so noch zahlreiche Christen. Es gibt Texte in der Schrift, die dieses Gottesbild fördern. Aber die Hauptbotschaft der Bibel stellt uns Gott nicht so vor. Noch weniger hat Jesus uns ein solches Bild von seinem Vater vermittelt. Gott ist der Getreue. »Mit ewiger Liebe habe ich dich geliebt, darum habe ich dir so lange die Treue bewahrt« (Jer 31,3). »Gott ist die Liebe«, fasst Johannes in seinem Brief knapp zusammen (1 Joh 4,8.16). Diese Liebe währt ewig. Ein Gott, der uns nur ein Menschenleben lang lieben würde, wäre eine Karikatur. Zu den Sadduzäern, die so denken, sagt Jesus: »Ihr irrt euch sehr« (Mk 12,27). So würde man völlig falsch über Gott denken. Seine Liebe reicht auch über den Tod hinaus und währt in Ewigkeit. Die Freude der Begegnung mit diesem Gott, der Liebe ist, wird unsere ewige Glückseligkeit ausmachen. Sie hat aber auch eine Kehrseite: In der Begegnung mit dieser Liebe werden wir in großer Klarheit unser eigenes Leben sehen, gerade im Licht der Liebe. Die Begegnung mit Gott wird uns dann den schmerzlichen Einblick in die verlorenen Möglichkeiten unseres Daseins gewähren. Gott muss uns da gar nichts sagen, denn der Einblick in unser Leben spricht schon für sich. Vielleicht ist es das, was die Tradition Fegefeuer nennt. Ich wiederhole jedoch, dass in dem ganzen Geschehen Gott als der unendlich Liebende in der Mitte steht. Von dieser Mitte aus bekommt alles andere seinen Ort.

Dass der Tod zum Leben gehört, hat auch seine praktischen Folgen. Die Jesuiten gaben sich mit ihrer letzten Generalkongregation eine neue, zeitgemäße Aufgabe, über die zur Zeit des Gründers kein Mensch nachgedacht hat. Heute gehört sie zu unserer gläubigen Verantwortung: »Angesichts des gegenwärtigen medizinischen Fortschritts, insbesondere der Möglichkeit, einerseits das menschliche Leben über seine natürliche Dauer hinaus zu verlängern, andererseits unter Umständen durch Spendung eigener Organe anderen zu helfen, soll jeder – entsprechend den Gesetzen des betreffenden Landes – im voraus jene Verfügungen treffen, von denen er in seinem Gewissen, vom Glauben an Christus Jesus erleuchtet, meint, dass sie im Augenblick seines Übergangs vom irdischen zum ewigen Leben im Herrn der bessere Ausdruck der eigenen personalen Würde und der Solidarität mit den anderen sind.«[15]

Karl Rahner schenkte mir einmal ein Totenbildchen seiner Mutter, die am 27. Juli 1976 im Alter von 101 Jahren gestorben ist. Auf der Vorderseite findet sich das Foto einer rüstigen alten Dame mit freundlichem, klarem Blick. Auf der Rückseite ist ein Gebet von Pierre Teilhard de Chardin abgedruckt, das sie in den letzten Jahren ihres Lebens immer bei sich trug. Die Geschwister Rahner ließen darunter schreiben: »Gebet um einen guten Tod; handgeschrieben von unserer Mutter«. Mit diesem Gebet sei unser Kapitel über den Tod abgeschlossen:

Pierre Teilhard de Chardin:
Nachdem ich Dich als Den erkannt habe, Der mein erhöhtes Ich ist, lass mich, wenn meine Stunde gekommen ist, Dich unter der Gestalt jeder fremden oder feindlichen Macht wiedererkennen, die mich

zerstören oder verdrängen will. Wenn sich an meinem Körper oder an meinem Geist die Abnutzung des Alters zu zeigen beginnt; wenn das Übel, das mindert oder wegrafft, mich von außen überfällt oder in mir entsteht; im schmerzlichen Augenblick, wo es mir plötzlich zum Bewusstsein kommt, dass ich krank bin und alt werde; besonders in jenem letzten Augenblick, wo ich fühle, dass ich mir selbst entfliehe, ganz ohnmächtig in den Händen der großen unbekannten Mächte, die mich gebildet haben; in all diesen düsteren Stunden, lass mich, Herr, verstehen, dass Du es bist, Der – sofern mein Glaube groß genug ist – unter Schmerzen die Fasern meines Seins zur Seite schiebt, um bis zum Mark meines Wesens einzudringen und mich in Dich hineinzuziehen.

9. Einsamkeit

Einsamkeit ist für viele alte Menschen ein schmerzliches Problem, mit dem sie nur schwer fertig werden, besonders wenn der Ehepartner gestorben ist oder wenn einer von beiden in ein Pflegeheim aufgenommen werden musste. »Niemand braucht mich«, ist ihre Empfindung. »Kaum jemand besucht mich. Sie vergessen mich, oder alle haben keine Zeit.« Das Alleinsein lässt sich nicht mehr überspielen. Es wird zu einer täglichen drückenden Last. Die Armen und Kleinen, über die Jesus oft spricht, findet man heute mehr unter den Alten als unter den Kindern.

Vorsichtig möchte ich sagen, dass Alleinsein nicht nur schlecht ist. Wer das Alleinsein gut zu füllen versteht, dem kann es zu einem Segen werden; wem das jedoch nicht gelingt, erfährt das Alleinsein als Einsamkeit, unter der er leidet. Darum wäre es falsch, das Alleinsein mit allen möglichen Mitteln zu bekämpfen, und noch falscher, sich vorschnell darüber zu beklagen. Man muss sich erst dem Alleinsein stellen und ihm ins Auge schauen. Auch wenn es hart ist und weh tut, kann das Alleinsein fruchtbar und segensreich werden, aber eben nur, wenn man es annimmt. Es kann eine Einladung sein, über Grenzen hinauszuschauen und Schätze zu entdecken, die noch unbekannt sind. Es offenbart uns eine innere Leere, die zerstörerisch wird, wenn wir sie ablehnen oder verneinen, die uns aber ebensogut in eine große Tiefe führen kann, in der uns eine gnadenvolle Vereinigung mit Gott zuteil wird. Jeder Christ ist ein Tempel des Heiligen Geistes und eine Wohnung des dreifaltigen Gottes. Unsere letzte Erfüllung kann uns kein Mensch geben; es wird immer eine Leere und Distanz zurückbleiben, die nicht überbrückbar ist. Das gehört zum Menschsein, und nur wer dies akzeptiert, kann Frieden finden. Wer es ablehnt, wird immer unzufrieden bleiben. Manchmal ist nicht das Alleinsein das Problem, sondern die Unfähigkeit, dem Alleinsein einen sinnvollen Inhalt zu geben.

Im Nachlass eines in Augsburg verstorbenen Mitbruders fand der Obere dieses Zitat von Gotthard de Beauclair – leider ohne Quellenangabe:

»Nach Mittag wird das Licht kostbar.
In den Schatten beginnt die Geburt der Sterne.
Die große Stille.
Du bist allein.
Nicht einsam.«

Es ist heikel, etwas Allgemeines über dieses Thema zu sagen. Es besteht die Gefahr, dass diejenigen, die unter Einsamkeit leiden, dann die Erkenntnis gewinnen, dass sie nicht klagen, sondern dieses Leiden einfach akzeptieren sollen. Zweifellos gibt es aber auch eine Einsamkeit, die zerstörerisch wirkt und die wir nicht einfach mit Willenskraft beheben können. Anders ausgedrückt, es gibt ganz gewiss eine Einsamkeit, in der man einfach Hilfe und Kontakte *braucht*, damit man nicht immer tiefer in ein Loch fällt und alle Vitalität verliert. Jeder muss – eventuell mit Hilfe anderer – selbst herausfinden, ob sein Alleinsein sich negativ auswirkt.

Man kann zunächst versuchen, das Alleinsein zu nutzen und es so fruchtbar wie möglich zu gestalten. So kann man selbst entdecken, welche Möglichkeiten man in der persönlichen, immer einmaligen Lage und Veranlagung hat, um das Alleinsein positiv zu erleben. Zugleich muss man aber auch realistisch einzuschätzen versuchen, welches Maß an Kontakten man braucht, und darauf hinwirken, dass man diese Kontakte behält und pflegt oder eben zu knüpfen versucht. Wenn irgendwie möglich, empfiehlt es sich dabei, die Sache selbst in die Hand zu nehmen und nicht nur passiv abzuwarten.

Ein falscher Weg ist sicherlich der Versuch, in Alkohol, Drogen oder Medikamenten eine Lösung der Einsamkeitsprobleme zu suchen. Das würde nur in eine Sackgasse führen.

Ebenso ist es ungesund, sich in übermäßige Aktivitäten zu stürzen, so dass man »keine Zeit« hat, um an die Einsamkeit zu denken. Das Alter soll eine Zeit ohne Stress sein.

Alt werden hat, wie das ganze Leben, als höchstes Ziel, mehr zu lieben und zu vertrauen; zuerst und vor allem sind die Liebe und das Vertrauen auf Gott gerichtet. Aber Gott wird für uns sichtbar im Mitmenschen. Dafür lassen sich auch im Alter Wege finden. Der beste Weg, mit der eigenen Einsamkeit fertig zu werden, wird sein, Kontakt mit einem anderen einsamen Menschen zu suchen – soweit das eben möglich ist. Das ist eine hervorragende Weise, die Einsamkeit mit Liebe zu füllen. Vielleicht lässt sich auch eine Gruppe von Menschen bilden, die gelegentlich zusammenkommen oder auf andere Weise Kontakt halten. In manchen Gemeinden besuchen Ehrenamtliche regelmäßig einsame Menschen. So können, wenn auf beiden Seiten keine Nebenabsichten bestehen und die Begegnung in gegenseitigem Respekt erfolgt, wohltuende Beziehungen wachsen.

Das sei mir Anlass, um abschließend einige Worte über das Umfeld des alternden Menschen zu sagen. Mir scheint die Grundvoraussetzung für den Dienst der Helfer zu sein, dass diese ihr eigenes Altwerden annehmen, auch wenn es noch lange nicht aktuell ist. Der Kontakt mit alten Menschen ist immer eine verborgene Konfrontation mit unserem eigenen Altern. Wer den späteren Abbau seiner Kräfte jetzt ablehnt, wird das in irgendeiner Weise auch auf die Menschen, die jetzt alt sind, übertragen. Bei näherem Hinsehen entpuppen sich manche Probleme des Alterns als Anfragen an alle.

Ignatius war tief von der Würde jedes Menschen überzeugt. Daraus folgte für ihn eine große Ehrfurcht für jeden Menschen. In seinem Geistlichen Tagebuch berichtet er oft, dass er um »Demut, Ehrfurcht und Ehrerbietung« betet. Diese, schreibt er, sollen »nicht furchtsam, sondern liebevoll sein, und dies ging so in meinen Sinn ein, dass ich immer wieder sagte: ›Gebt mir liebevolle Demut!‹ Und

ebenso mit Ehrfurcht und Ehrerbietung ...«[16] Diese
demütige Ehrfurcht richtet sich zunächst auf Gott,
aber dann auch auf den Menschen, in dem er das
Einwohnen Gottes spürte. Das war für ihn eine der
vielen Weisen, in denen er »Gott in allem fand«.
Diese Gegenwart Gottes in allem prägte sein ganzes
Leben und vor allem seinen Umgang mit den Mitmenschen. Die liebevolle, demütige Ehrfurcht ge-
bührt auf ganz eigene Weise dem alten und ge-
brechlichen Menschen.

Nach dem Tod ihres Bruders, der nach langer
Krankheit im Alter von 53 Jahren an Krebs starb,
schrieb mir eine Frau in einem Brief: »Obwohl der
Tod unseres Bruders uns unbegreiflich vorkommt,
ist uns doch sehr bewusst, dass die Erfahrung, jemanden durch Krankheit und Tod hindurch zu begleiten, ein tiefgreifendes Privileg ist, das unser eigenes Leben verwandelt.« Ähnliche Erfahrungen
haben viele gemacht. Erklären kann man dieses Geheimnis nicht, doch es trifft uns tief und hat seine
Auswirkungen.

Die Hospizbewegung hat in den letzten Jahrzehnten neue Formen der Betreuung von Schwerstkran-
ken entwickelt, in denen der Respekt vor den
Kranken und ihren Bedürfnissen im Mittelpunkt
steht. Unter Hospiz versteht man »eine medizi-
nisch-pflegerische Betreuung von Schwerkranken,
bei der man nicht mehr versucht, mit einem über-
mäßigen Aufwand moderner Apparate-Medizin
menschliches Leben und Sterben zu verlängern. Es
geht vielmehr darum, bei der Anwendung einer

palliativen, das heißt lindernden medizinischen Versorgung dem Patienten menschliche Betreuung und Zuwendung zukommen zu lassen, wie das in Wirklichkeit auch den Bedürfnissen des Schwerkranken entspricht. Da kann die psychologische und seelsorgerliche Hilfe bei der Auseinandersetzung mit dem Gedanken des Sterbens und die menschliche Begleitung in dieser Lebensphase, aber oft auch die Betreuung seiner Angehörigen wichtiger sein als noch eine Chemotherapie oder eine fast aussichtslose Operation. Ein derartiges Hospiz kann in einer eigenen Station seinen Ort haben, in einer ambulanten Hilfe und Unterstützung der pflegenden Angehörigen oder in verschiedenen Mischformen. Die Erfahrung im Hospiz hat bestätigt, dass etwa die Angst vor dem Sterben oder die innere Qual ungelöster menschlicher Konflikte für Sterbende oft belastender und schlimmer sind als rein körperliche Schmerzen«[17]. Die Lebensqualität wird nicht primär medizinisch bestimmt, sondern mehr noch durch das familiäre, soziale und religiöse Umfeld.

Eine niederländische Ärztin erzählte mir von einem alten, kinderlosen Ehepaar; der Mann war schwer krank geworden. Die Ärztin kam bald zu dem Befund, dass es keine reale Möglichkeit der Heilung gab. Vorsichtig, sorgfältig und ruhig informierte sie den Patienten und versprach ihm zugleich, dass sie alles tun würde, was in ihrer Macht liege, um den Schmerz zu begrenzen und zu lindern. In den darauffolgenden Wochen bemerkten beide Eheleute, dass sie oft miteinander stritten, obwohl sie das gar nicht wollten und vorher nie in diesem Ausmaß getan hatten. Die Ärztin besuchte regelmäßig ihren Patienten zu Hause und bekam diese ungewohnte Spannung zwischen Mann und Frau mit. Sie wunderte sich darüber und überlegte, was sie tun könne. Das Ehepaar war nicht religiös, die Ärztin dagegen eine Katholikin, die bewusst ihren Glauben lebte. Dazu gehörte für sie auch, dass sie ernsthaft erkrankte Patienten in ihrem Gebet Gott empfahl und in besonderen Fällen sogar eine große alte Osterkerze vor der Marienstatue in ihrer Wohnung brennen ließ. Beim nächsten Besuch erzählte sie bewusst von ihrem Gebet für den Patienten und seine Frau, um dem Ehepaar zu signalisieren, dass sie sich nicht auf ihre medizinische Aufgabe beschränkte, sondern darüber hinaus die beiden in ihre Sorge und ihr Gebet mit hineinnahm. Diese Mitteilung veränderte den Umgang der alten Menschen miteinander und brachte ihnen Ruhe und Gelassenheit. Sie fühlten sich von dem Respekt und dem Glauben der Ärztin umringt und schöpften daraus die Kraft, ihren Weg zu gehen, obwohl viele Sicherheiten, die bis dahin Halt gaben, weggefallen waren.

Bei katholischen Patienten kann eine Feier der Krankenkommunion eine Wohltat sein. Wenn irgend möglich, ist dabei die »große Form« empfehlenswert: zunächst ein kurzes, lockeres Gespräch zur Begrüßung, dann die liturgische Eröffnung (Verehrung der Eucharistie, Lied, Einführung, Schuldbekenntnis, Vergebungsbitte), ein Wortgottesdienst (etwa das Sonntagsevangelium mit einer kurzen Deutung und Fürbitten), die Kommunion (Vaterunser, Einladung zur Kommunion, Kommunionempfang), ein gesprochenes Lied aus dem Gotteslob und der Abschluss (Segensgebet mit Segen und Mariengruß). Insgesamt mag das wohl eine halbe Stunde dauern; diese Zeit ist aber gut »genutzt«. Für Kommunionhelfer ist hier ein fruchtbares Feld, das noch weiter zu entdecken ist. Wichtig ist natürlich, dass die Krankenkommunion niemandem aufgedrängt, sondern jedem frei angeboten wird.

Altwerden ist ein Prozess. Eine wichtige Rolle in diesem Prozess spielt die Umgebung, die alle Bereiche des Lebens umfasst: Versorgung und Pflege, Physiotherapie und kreative Beschäftigung, Zuneigung und Herzlichkeit, aber auch geistliche Unterstützung ... Wenn dieses Büchlein den geistlichen Weg im Altwerden hervorheben will, dann gilt diese Betonung auch für diejenigen, die mit alten Menschen den Weg mitgehen. Gott hat uns einander anvertraut, und in den letzten Phasen unseres Lebens wird diese Verbundenheit besonders notwendig sein. Wir bilden alle einen Leib, sagt Paulus, und Gott hat den Leib so zusammengefügt, dass alle Glieder einträchtig füreinander sorgen (vgl. 1 Kor 12,24f.). Auf diese Weise will Gott – auch durch uns – alles zum Guten führen.

Anhang

Albert Schweitzer:

Niemand wird alt, weil er eine Anzahl Jahre hinter
   sich gebracht hat.
Man wird nur alt, wenn man seinen Idealen Lebe-
   wohl sagt.
Mit den Jahren runzelt die Haut,
mit dem Verzicht auf Begeisterung aber runzelt die
   Seele.
Sorgen, Zweifel, Mangel an Selbstvertrauen, Angst
   und Hoffnungslosigkeit,
das sind die langen, langen Jahre,
die das Haupt zur Erde ziehen
   und den aufrechten Geist in den Staub beugen.

Du bist so jung wie deine Zuversicht, so alt wie deine Zweifel,
so jung wie deine Hoffnung, so alt wie deine Ver-
   zagtheit.
Solange die Botschaft der Schönheit, Freude, Kühn-
   heit, Größe, Macht
von der Erde, den Menschen und dem Unend-
   lichen
dein Herz erreichen,
so lange bist du jung.
Erst wenn deine Flügel nach unten hängen
   und das Innere deines Herzens

vom Schnee des Pessimismus und vom Eis des Zy-
    nismus bedeckt sind,
dann erst bist du wahrhaftig alt geworden.[18]

Gebet einer englischen Nonne
aus dem 17. Jahrhundert:

Herr, du weißt es besser als ich selbst, dass ich von
    Tag zu Tag älter werde
und eines Tages alt sein werde.
Bewahre mich vor der Einbildung,
bei jeder Gelegenheit und zu jedem Thema etwas
    sagen zu müssen.
Erlöse mich von der großen Leidenschaft,
die Angelegenheiten anderer ordnen zu wollen.
Lehre mich bedachtsam, aber nicht grüblerisch,
hilfreich, aber nicht autoritär zu sein.
Bei meiner ungeheuren Ansammlung an Weisheit
tut es mir ja leid, sie nicht weiterzugeben,
aber du verstehst, Herr,
dass ich mir ein paar Freunde erhalten möchte am
    Ende.
Bewahre mich davor, endlose Einzelheiten aufzu-
    zählen;
verleihe mir Flügel, zur Hauptsache zu kommen.
Lehre mich schweigen über meine Krankheiten
    und Beschwerden;
sie nehmen zu, und die Lust daran, sie zu beschrei-
    ben,
wächst von Tag zu Tag, von Jahr zu Jahr.
Ich wage nicht, die Gabe zu erflehen, die Schmer-
    zen und Leiden anderer
mit Freude anzuhören, aber lehre mich, sie geduldig
    zu ertragen.
Ich wage es auch nicht, um ein besseres Gedächtnis
    zu bitten,

nur um etwas mehr Bescheidenheit und etwas weniger Bestimmtheit,

wenn meine Erinnerung mit den Erinnerungen anderer in Widerspruch zu stehen scheint.

Lehre mich die großartige Erkenntnis,

dass ich mich gelegentlich auch irren könnte.

Erhalte mich so liebenswert wie möglich.

Ich weiß, dass ich nicht unbedingt eine Heilige bin,

– mit manchen von ihnen ist es so schwer zu leben! –

aber ein alter Griesgram ist doch wohl das Krönungswerk des Teufels.

Lehre mich, an anderen Menschen unerwartete Talente zu entdecken,

und verleihe mir, Herr, die schöne Gabe, es ihnen auch zu sagen.

Amen.

(N.B. Dieses Gebet kommt in unzähligen Varianten vor)

Die Gaben des alten Menschen –
Seligkeiten der »leeren« Hände

von Sr. Beatrix Kolck OSB, 1966 bis 1994 Äbtissin der Abtei Heilig Kreuz in Herstelle

Selig, die den Mut haben, nichts zu tun.
Sie zeigen uns eine andere Ebene des Füreinander.

Selig, die nichts mehr erwarten und dennoch zu
lächeln vermögen.
Sie sind durchsichtig für Gottes Güte.

Selig, wer zuhören kann und nicht in die gleiche
Kerbe schlägt.
Sie relativieren unsere starre Ansicht.

Selig, wer seine Ohnmacht aushält und sich nicht
auflehnt.
Er begütigt unser erregtes Herz.

Selig, wer sich frei macht von der Bitterkeit des
Alleinseins.
Er gibt die Zeit in Gottes Hand.

Selig, die nicht müde werden, Vertrauen zu zeigen.
Sie geben uns Mut, den Tag neu anzugehen.

Selig, die nicht mehr helfen können, aber über uns
weinen.
Ihre Tränen werden schwer wiegen vor Gott.

Selig, die den Tag in Ruhe und Stille leben.
Sie schaffen uns eine rettende Zuflucht.

Selig, die nichts mehr zu sagen haben, aber dennoch
nicht verstummen.
Ihr Wort kündet Hoffnung und Zuversicht.

Selig, die ihre Hände leer machen und ausbreiten,
sie lehren uns, nichts festzuhalten.

Selig, die ihre Not nicht so wichtig nehmen und
nur den Anderen im Blick haben.
Was wäre unser Leben ohne sie?[19]

Lebens-Weg

Aus der alten St.-Pauls-Kirche, Baltimore 1692

Gehe ruhig und gelassen durch Lärm und Hast
und sei des Friedens eingedenk, den die Stille ber-
    gen kann.

Stehe, soweit ohne Selbstaufgabe möglich,
in freundschaftlicher Beziehung zu allen Menschen.

Äußere deine Meinung ruhig und klar und höre
    anderen zu,
auch den Geistlosen und Unwissenden – auch sie
    haben ihre Geschichte.

Meide alles Laute und Aggressive,
es ist eine Qual für den Geist.

Wenn du dich mit anderen vergleichst,
könntest du bitter werden und dir nichtig vorkom-
    men;
denn immer wird es jemanden geben, der größer
    oder geringer ist als du.

Freue dich deiner eigenen Leistungen wie auch
    deiner Pläne.

Bleibe weiter an deiner eigenen Laufbahn interes-
    siert, wie bescheiden auch immer.
Sie ist ein echter Besitz im wechselnden Glück der
    Zeiten.

Böse Dinge sollen dich nicht blind machen
gegen gleichermaßen vorhandene Rechtschaffen-
    heit.

Viele Menschen ringen um hohe Ideale,
und überall ist das Leben voller Heldentum.

Sei du selbst,
vor allen Dingen heuchle keine Zuneigung
noch sei zynisch, was die Liebe betrifft;
denn auch im Angesicht aller Dürre und Enttäu-
    schung
ist sie doch immerwährend wie das Gras.

Ertrage freundlich gelassen den Ratschluss der Jah-
    re,
gib die Dinge der Jugend mit Grazie auf.

Stärke die Kraft des Geistes,
damit sie dich in plötzlich hereinbrechendem Un-
    glück schütze.

Aber beunruhige dich nicht über Einbildungen.

Viele Befürchtungen sind Folge von Erschöpfung
    und Einsamkeit.

Bei einem heilsamen Maß an Disziplin,
sei gut zu dir selbst.

Du bist ein Kind Gottes;
du hast ein Recht, hier zu sein.

Darum lebe in Frieden mit Gott, was für eine Vor-
    stellung du auch von ihm hast
und was immer dein Mühen und dein Sehnen ist.

In der lärmenden Wirrnis des Lebens
    erhalte dir den Frieden der Seele.

Trotz all ihrem Schein, der Plackerei und den zer-
  brochenen Träumen
ist diese Welt doch wunderschön.

Sei vorsichtig.
Strebe danach, glücklich zu sein.

Anmerkungen

[1] In: Geist und Leben 70/5, 1997, 356–365.

[2] Hermann Hesse, »Stufen«, aus: Sämtliche Werke, Bd. 10: Die Gedichte. © Suhrkamp Verlag, Frankfurt am Main.

[3] Gesammelte Werke, Bd. 11, Zürich-Stuttgart 1963, 367.

[4] Die Abkürzung »GÜ« (mit Randnummer) verweist auf das Exerzitienbuch des hl. Ignatius, dessen Titel im Deutschen meist »Geistliche Übungen« lautet. Es ist in vielen Ausgaben und Übersetzungen verbreitet.

[5] Alfred Delp, Gesammelte Schriften, hg. von Roman Bleistein, Bd. IV, Frankfurt am Main 1984, 26.

[6] Ignatius von Loyola, Gründungstexte der Gesellschaft Jesu (Deutsche Werkausgabe, Bd. II), übers. von P. Knauer, Würzburg 1998, 753 (Sa 595).

[7] Ignatius von Loyola, Briefe und Unterweisungen (Deutsche Werkausgabe, Bd. I), übers. von P. Knauer, Würzburg 1993, 840.

[8] »Der Neue Mensch«, in: Frankfurter Allgemeine Zeitung vom 27. Oktober 2002, 10.

[9] Gründungstexte (vgl. Anm. 6), 305.

[10] Freiburg 1998.

[11] Vgl. Johannes Bours, Ich werde ihm den Morgenstern geben, Freiburg 1988, 120ff.

[12] Enarr. in ps. 85,1; CCL 39,1176; zitiert in: Stundenbuch I, 31*.

[13] Stephan Ch. Kessler SJ, in: »An unsere Freunde«, Dez. 2002, 13.

[14] Das denkende Herz. Die Tagebücher von Etty Hillesum, Hamburg 1985, 125f.

[15] Ergänzende Normen zu den Satzungen der Gesellschaft Jesu, München 1997 (Ms), Nr. 244, § 4.

[16] Aufzeichnung vom 30. März 1544, in: Gründungstexte (vgl. Anm. 6), 402.

[17] Johannes Rotter, in: »An unsere Freunde«, Oktober 2002, 4.

[18] Ohne Quellenangabe zitiert von Medard Kehl, in: Geist und Leben 75/5, 2002, 347. Vgl. Hans Wielens (Hg.), Führen und Meditieren, Frankfurt am Main u.a. 2003, Vorwort.

[19] Aus unveröffentlichtem Nachlass.

In der Reihe **Ignatianische Impulse**
sind bisher erschienen:

Willi Lambert
Das siebenfache Ja
Exerzitien – ein Weg zum Leben
ISBN 3-429-02534-6

Stefan Kiechle
Sich entscheiden
ISBN 3-429-02535-4

Piet van Breemen
Alt werden als geistlicher Weg
ISBN 3-429-02533-8

Heiner Geißler
Glaube und Gerechtigkeit
ISBN 3-429-02603-2

Cordula und Ottmar Leidner
Weil ich mit dir wachsen möchte
Herausforderung Ehe
ISBN 3-429-02602-4

Klaus Mertes
Verantwortung lernen
Schule im Geist der Exerzitien
ISBN 3-429-02537-0